KB096405

오늘 만난 CEO

오늘 만난 CEO

발 행 | 2023년 12월 06일
저 자 | 임요세프 (publickfc@naver.com)
펴낸이 | 한건희
펴낸곳 | 주식회사 부크크
출판사등록 | 2014.07.15.(제2014-16호)
주 소 | 서울특별시 금천구 가산디지털1로 119 SK트윈타워 A동 305호
전 화 | 1670-8316
이메일 | info@bookk.co.kr

ISBN | 979-11-410-5727-5
본 책은 브런치 POD 출판물입니다.
https://brunch.co.kr

www.bookk.co.kr

오늘
만난
CEO

임요세프 지음

CEO들의 창업 경험담과 성공담, 실패와 재기 스토리를 통해 독자들이 성공적 삶을 설계하는 데 도움이 되기를 바랍니다.

CONTENT

서문

정년퇴직 vs 부업 vs 창업

바야흐로 대 퇴직의 시대다. 사람들은 조기퇴직, 창업, 경제적 자유 등의 이슈에 민감하고, 관심이 많다. 그리고, 다른 사람들의 생각을 궁금해한다. 정년을 목전에 둔 공무원과 비트코인 투자에 성공한 IT 개발자의 생각, 스타트업 청년 기업가의 생각은 같을 수 없다.

어떤 선택을 할 것인가, 어떻게 살 것인가에 대한 정답은 없다. 주변에 휘둘리지 말고, 사람들의 이목에 신경 쓰지 않으며, 남과 자신을 비교하지도 말라지만, 우리는 누구나 주변의 영향을 받는다. 정도의 차이만 있을 뿐이다. 외로운 섬에 갇혀 홀로 살지 않는 한, 우리는 서로 영향을 주고받는 사회적 동물이다.

저자 역시 그러하다. 마흔 중반을 넘어서까지 한 회사를 20년째 다니고 있으니, 어떤 분위기, 환경에 처해있는지 대략은 짐작할 수 있으리라. 평생 퇴직률이 20% 미만인 회사니, 10명 중 8명은 입사 후 정년까지 다닌다는 이야기다. 20대 중반에 입사하면, 35년은 다닐 수 있다.

물론, 미래가 어떻게 될지, 회사가 언제까지 지속 가능할지는 누구도 쉽게 예측하긴 어렵다. 하지만, 전반적인 회사 분위기나 업무량, 사회적 기여도나 역할 등을 살펴보면, 당장 회사에 큰일이 있을 것 같진 않다. 과거 대규모 구조조정이나 인적 쇄신도 흔치 않은 일이었으니, 큰 대과가 없다면, 정년까지 다닐 수 있는 확률은 높아 보인다.

이런 분위기에선, 제아무리 좋은 아이디어, 사업 아이템이 있어도 사직서를 제출하기는 쉽지 않다. 실제로도, 아무개 씨가 퇴직하고 나가서 사업에 성공했더라, 잘되었더라는 뒷이야기는 잘 들리지 않는다. 누군가는, 이를 합리적 회의주의(Rational Scepticism)라고도 했다.

통계적으로도, 사업은 성공보다 실패 확률이 더 높다. 누군가 내게 기업금융 전문가로서 의견을 구한다 해도 마찬가지다. 사업은 말리는 편이 욕을 덜 먹는다.

정년퇴직을 잘못된 선택이다, 옳지 않은 일이다 비판할 사람도 거의 없다. 우리는 연예인, 프로 운동선수, 유명 유튜버, 셀럽들이 수십억의 돈을 단기간 내에 버는 걸 부러워하지만, 가만히 생각해 보면, 30년을 한 직장에 근무하며 얻을 수 있는 평생 소득, 정서적 안정감, 보람과 긍지 등이 결코 부족하지도 않다.

한 직장에서 정년을 채우는 것, 가정을 이루고 자녀를 낳아 양육하는 것, 자기 업무를 사명감 있게 처리하는 것, 급여 중 적정액을 매번 세금으로 납부하는 것. 이러한 삶은 기독교에서 말하는 신실한 청지기(Stewardship)에도 부합하는 인생이다. 청지기는 성실성, 근면함, 윤리성 측면에서 존중받을 만하고, 사회 전체의 건강성을 높이는 차원에서도 권장할 만하다.

하지만, 다른 한편으로는 뭔가 채워지지 않는 갈증이 남는다. 개성 가득한 사람들이 모였는데도, 시스템에 맞추어 일하고, 조직의 이름으로만 성과를 내기 때문이다. 공공성이라는 단어가 주는 만족감, 뿌듯함이 있지만, 개별적인 경제주체로서의 적극적 역할과 성과 창출은 애초에 차단되어 있다. 오히려 남다른 아이디어는 비난과 비판의 대상이 되기 일쑤다. 능력과 개성, 아이디어를 갖고 있어도, 굳이 실천하지 않아도 되는 자유가 있기에 누군가의 신선한 생각은 그저 생각 차원에서 소비되고 만다. 안타까운 일이다. 그렇다고 쉽사리 창업을 권하거나, 외부인에게 아이템을 팔아 현금화하라고 조언하지도 못한다. 자기 검열이 일상화된 지는 오래다.

공무원, 공공기관, 금융기관, 대기업, 중견기업 등 일정 규모 이상의 조직 구성원들은 대부분 겸직 금지의 의무가 있다. 하긴, 이런 취업규칙이 적용되지 않는다 해도, 어느 경영자가 소속 직원들의 부업 활동, 몰래 아르바이트를 환영하겠는가. 대외적으로, 직원들의 자기 계발, 성장과 발전을 적극 지원한다 해도, 그건 어디까지나 립서비스일 뿐이다.

인재 개발이라는 명목하에 진행하는 인사관리(HRM), 인력개발

(HRD) 등은 모두 회사의 성과 창출, 매출액과 자산규모의 증가를 위한 것이어야 한다. 내가 아는 한, 이 세상에 직원들의 부업이나 과외활동, 근로소득 외 개인소득 창출을 적극 지원하는 이타적, 헌신적 기업은 없다. 그건, 기업이 아니라, 자선단체에 가깝다.

그럼에도 불구하고, 많은 직장인은 어느 정도의 위험을 무릅쓰고, 제2의 소득 창출에 적극적이다. 회사 업무를 통해 익힌 아이디어나 신규 아이템을 발전시켜, 개인 특허나 실용신안권을 등록하기도 한다. 배우자나 친인척, 믿을만한 선후배의 이름으로 창업하기도 한다. 지분 참여로 간접 창업을 할 수도 있다. 최근에는, 퇴근 후 네이버 스마트 스토어를 활용해 온라인 쇼핑몰 사업을 하는 직장인들도 많아졌다.

내 친구 서 변호사도 온라인 스토어에서 화장품, 액세서리, 각종 생필품을 가리지 않고, 중국 에이전트로부터 받아다가 판다. 본인은 SNS, 블로그 등 온라인 소통창구를 활용해 마케팅에 집중하고, 상품의 포장, 배송, 사후관리 등은 외부 업체에 외주를 준다. 초기 투자 비용과 사업 리스크는 적고, 수익률은 쏠쏠해서 대만족이다. 본업과 부업이 헷갈릴 정도라 하니, 부업도 잘만 하면, 좋은 선택지가 될 수 있다. 꿩 먹고(회사도 다니고), 알 먹기다(부수입도 생기고).

하지만, 이 방법은 꾸준히 지속하기 어렵다. 직장생활도, 부업도, 최선을 다하기 어렵다는 단점이 있기 때문이다. 한 가지에 올-인해도 성공할까 말까인데, 에너지가 분산되면 아무래도 성공 가능성은 더 낮아진다. 다만, 인생의 포트폴리오를 다양하게 마련해 두는 건, 절대 말릴 일이 아니다. 무엇보다 창업 전 징검다리, 우선 테스트 차원에서도 적극 권장할 만하다.

요즘은 여러 채의 부동산 갭투자, 상가건물 투자에 성공한 직장인, 주식이나 코인 투자로 큰 재미를 본 사람들도 많다. 이런 부업은 회사 생활에도 집중할 수 있고, 매매 후 시간 관리만 잘 한다면 부업에 크게 신경을 쓰지 않아도 돈이 돈을 벌어다 주는 파이프라인이 구축될 수 있다는 면에서, 눈길이 가는 매력적인 선택지로도 보인다.

조기퇴직 후 창업은, 물론 가장 리스크가 크다. 그런데, 아무리 생각해도 창업하기 적당한 때라는 건 없다. 20대도, 30대도, 40대도, 60대도 창업은 어렵다. 청년창업, 중년 창업, 시니어 창업 중 언제 창업하는 게 가장 성공확률이 높은가에 대해 보편적으로 통용되는 정답은 없다. 따라서, 좋은 직장, 안정적인 회사 다니는 사람이 창업한다고 하면, 그를 아끼는 사람들이 도시락 싸 들고 다니면서 말리는 것도 이해가 된다. 만에 하나, 사업에 실패하면, 후에 감당해야 할 몫이 너무 크기 때문이다. 직접 경험하지 않아도 우리는 직관적으로 그 어려움을 가늠할 수 있다.

젊어서 고생은 사서도 한다지만, 젊은 나이에 신용불량자가 되면, 심리적으로 위축될 가능성이 크고, 곤경을 확대해석할 여지도 크다. 나이 든 사람이 보면 별일 아닌 것 같은데도, 비판적 댓글 하나에도 목숨이 왔다 갔다 하는 게 청춘의 감수성이다. 청년의 시도와 용기 자체를 높이 평가하고, 모두 수용해 줄 만큼(예컨대, 신용불량 대 사면), 우리 사회의 아량과 수준이 높지도 않다.

중년 창업은 또 어떠한가. 자칫, 회사 생활의 패배자, 낙오자라는 세상의 색안경과 마주할 가능성이 있다. 알고 보면, 구조조정을 당한 게 아니라, 자신이 먼저 회사를 구조조정 하는 결정을 내린 것인데도 말이다. 세상에 대한 이해, 업무 지식, 인적 네트워크, 어느 정도의 자본력 등을 고려하면 30~40대 경력자들의 창업은 자아실현, 경제적 성공과 같은 개인적 차원의 동기부여에 부합할뿐더러, 사회 전체적인 측면에서도 바람직하다. 새로운 아이템과 상품, 서비스는 자본주의 시대 사회발전의 원동력이자, 경제적 부가가치의 원천이기 때문이다.

내가 존경하는 김 대표는 나이 마흔에 대기업을 나와 생뚱맞게 의자 제조업체를 창업했다. 회사에 남았어도 충분히 임원의 자리까지 올라갈 실력과 품성을 갖추었음에도, 그의 선택은 창업이었다. 미국 출장을 통해 견문을 넓힌 데다, 사업가로 어느 정도 자리 잡은 친구가 파트너 제안을 해오자, 그는 더 머뭇거릴 이유가 없었다.

중국에 구축해 둔 인적 네트워크와 생산 설비, 고경력의 생산 인력은 그가 과감히 창업과 투자에 베팅한 이유였다. 생산된 의자의 품질, 편리성, 가격 경쟁력이 확보되기까지의 2년은 그야말로 고난의 행군이었다. 이후, 그는 미국 본토에 의자 창고를 확보하고, 아마존(Amazon) 사이트를 적극 공략했다. 회사설립 4년 만에 연간 매출은 300억 원을 넘겼고, 어느덧 아마존 내 의자 업계 최강자가 되었다.

친구 중에 나이 마흔에 유명 디자인 밑에서 일을 배우다가, 배우자와 함께 독립해 의류 제조회사를 설립한 디자이너, 아니 창업가 황 대표도 있다. 그는 여성 의류 디자이너로서의 오랜 경력, 실력을 앞세워 법인을 설립했다. 인건비를 줄이기 위해 배우자는 난데없는 경영관리 업무까지 익혀야 했다. 디자이너에게 회계, 세무 업무는 딴 나라 언어였다.

우리나라에서 의류 제조업 인건비는 완제품 판매가격을 도저히 감당할 수 없기에 생산의 외주화, 동남아시아 화(化)도 필수였다. 베트남에 건너가 파트너사를 물색하고, 주문한 대로 제품 생산이 이루어지는지, 불량률은 어느 정도인지, 노사 간에 갈등은 없는지, 납기는 지켜질 수 있을지, 확인 또 확인했다. 영업이익률이 낮은 산업 분야인지라, 적은 인원으로 제품 디자인부터 원료 구매, 생산, 국제 배송, 판매, A/S까지 일일이 신경 써야 하니, 그는 슈퍼맨이 되어야 했다. 베트남을 제집 드나들듯 다니던 황 대표는, 법인설립 3년 만에 연 매출 100억 원을 달성했다.

성공적인 40대 창업가들의 사례를 소개하긴 했지만, 100억 원의 매출이 아니라, 단 천만 원의 매출이 발생하기까지도 얼마나 많은 변수가 도사리고 있는지 알기에, 나는 아직도 열심히 회사에 다닌다. 특별한 사업 아이템도 가진 게 없다.

아내가 휴직 중일 때, 농 반 진 반으로, 창업에 도전해 보자며, 함께 떡갈비 만들고, 달고나라는 이름으로 상표권도 등록한 후, 가게 자리까지 알아본 적이 있다. 대략, 창업비용을 계산해 보고, 예상 판매량, 예상 노동시간을 따져보니, 답이 안 나왔다. 그 노력에, 그 정도 매출이면, 당연히 창업은 접고, 다니던 회사나 잘 다니는 게 최선이었다. 그렇게, '달고나 떡갈비'는 한때의 추억이 되었다.

간접 경험만으로 옆에서 감 놔라, 배 놔라 하는 것과 직접 체험해 보는 건 천양지차다. 내가 가진 역량과 한계를 냉정하게 되새겨볼 때, 간접 창업이 제격이라 판단했다. 상장된 회사, 코스닥에 등록된 기업의 주식을 사는 것, 비트코인을 0.1 bit씩 사 모으는 건 재테크의 영역이니 논외다. 엄밀하게 따지면, 기업이 최초 발행하는 주식이 아니라, 유통 중인 주식을 사고파는 건 기업의 성장에도 도움이 되는 일이 아니다. 그래서 난, 좋은 사업 아이템, 이 세상에 선한 영향력을 줄 수 있는 기업가나 회사를 만나면, 과감하게 초기지분을 투자하는 엔젤(천사) 투자자가 되기로 했다.

내 간접 창업의 성공 여부는 불투명하다. 지금까지의 중간 성적표도 영 시원찮다. 처음 투자한 전기차 플랫폼 기업은 얼마 전 폐업했고, 대표이사는 구속까지 되었으니, 주식은 이미 휴지 조각이 되었다. 췌장암 치료 신약을 개발하는 바이오 기업에 대한 투자도 성공을 가늠하기 어렵다. 그러나, 여기저기서 후속 투자도 받고, 국가 연구과제에도 참여하는 걸 보면, 미래는 밝다. 바이오 의료 산업계에 미력이나마 이바지하는 것 같아 내심 뿌듯하기도 하다. 설령, 투자의 끝이 성공이 아닐지언정, 나의 선택이니 최소한 누굴 원망할 일도 없다.

누구든 정년퇴직, 부업, 창업 사이에서 고민한다. 그런데, 가만히 생각해 보면, 내가 근무하는 이 조직도, 지분투자로 간접경영에 참여 중인 바이오 회사도, 과감한 실행력으로 한때 경제적 손실을 맛보았던 중식 프랜차이즈 사업도, 알고 보면 누군가가 창업한 기업이다. 결국, 나의 인생은 CEO의 기업가정신에 빚지고 있는 셈이다. 내가 이 저작물을 세상에 내놓게 된 이유다.

창업이 지속되지 않는 한, 사회는 퇴보한다. 행여라도 창업이 실패하더라도, 성실한 사업 실패자들의 경제적 고통을 분담하고, 재기 지원 제도를 정교하게 구축하며, 기업가들의 아이템이나 유무형의 자산이 사라지지 않도록 관리하는 것이 국가 또는 사회 시스템의 역할이기도 하다.

본 에세이는 저자가 최근 수년간 만난 다양한 사업 분야 기업가들의 경영 현황을 살펴본 후, 창업 성공과 실패 요인, 시사점 등을 간추린 기록물이다. CEO들의 고군분투 기업경영 스토리들을 기록하고, 공유하는 것만으로도 가치는 충분하다. <오늘 만난 CEO>가 독자들이 더 나은 미래를 준비하는 데 도움이 되기를 바란다.

<본문 1> 2030 청년 기업가 스토리

1. 창업에도 정석은 있다

수학 문제는 공식에 맞는 답을 낼 수 있겠지만, 진짜 세상일에 정답이 어디 있겠는가. 스노우폭스의 김승호 회장은 최근의 저서 <사장학 개론>을 통해 기업가가 가져야 할 덕목과 성공 방법을 설파했다. 그가 성공한 기업인이고, 전작 <돈의 속성>이 워낙 큰 인기를 끌었기에, 이처럼 확신에 찬 책 제목을 지을 수 있었으리라.

흔히, <개론>이라 함은 보편적인 기본 개념과 일반이론을 추려서 서술하는 것을 의미한다. 그런 의미에서 보자면, 직간접적인 경험, 철학, 판단, 그리고 뭐라 설명하기 힘든 행운 등이 어우러진 그의 성공담에 <기본서>의 이름을 붙이는 건, 과감한 측면이 있다. 조금 적나라하게 표현하자면, 자신의 가치관, 신념 따위와 부합하는 정보에만 주목하고, 자신의 믿음과 반대되는 정보는 애써 외면하는 <확증 편향>이 끼어들 여지가 있다는 얘기다. 하지만, 별 상관없다. 자기 계발서나 수필이 학술지에 투고하는 논문도 아니고, 검증이 필요한 학술서적도 아니니 말이다. 과감함은 자신감의 산물이다.

창업에 정답은 없다. 어느 시점에, 어떤 아이템으로, 누구와 어디에서 창업할 것인지를 결정하는데, 맞고 틀리고 가 있을 리 없다. 뭉뚱그려 창업기업 전체의 생존율, 업종별/연차별 폐업률이 계산될 뿐이다. 잘된 기업의 성공비결, 잘못된 회사의 실패 원인 등은 그저 결과론적인 해석일 뿐, 언제나 상식인 창업학 이론서는 없다.

그래도, 20년 이상의 기업금융 분야 종사 경력과 직관력, 판단력을 한데 모아 창업의 정석을 논해 볼 수는 있을 것 같다. 사업에 성공한 적도, 실패한 적도 없으니, 편견도 덜할 것이다. 20년간 수천 개 기업의 설립, 성장, 성숙, 쇠퇴, 재도약의 과정을 지켜보았다. 기업의 생애주기별 맞춤형 금융 상품도 취급해 보고, 실패한 기업인들을 대상으로 한 실증 논문도 써 보았으니, 한마디 거들 자격은 되는 듯하다.

올바른 창업 방법을 하나, 둘 번호 붙여 개괄식으로 설명하는 건, 잘 와닿지 않는다. 가급적, 실제 사례를 들어 서술하는 편이 더 생동감 있고, 설득력 있다. 그런 의미에서, 정 대표는 내가 생각하는 창업의 정석에 부합하는 창업가다. 그의 창업 역사를 따라가 보자.

그는 우리나라에서 대학을 졸업한 후, 미국 대학원에서 전자공학, 컴퓨터 공학 분야를 전공했다. 대학원을 졸업한 그의 첫 선택지는 취업이었다. 입사한 곳은 LG전자다. 대기업은 다양한 업무를 폭넓게 배우기에 좋은 선택지는 아니다. 그러나, 한 분야의 전문가로서 쌓아 온 지식을 제품 소프트웨어 개발에 응용하고,

실력을 늘리기에는 제격이다.

그는 소프트웨어 개발자로 근무하며, 내로라하는 전문가, 동료 선후배들과 함께 일했다. 지식과 이론이 실제 산업 현장에서 어떻게 적용되는지 몸소 체험했다. 신사업 기획 담당자로 근무한 일은 IT 개발자가 아닌, 경영관리 담당자로서의 색다른 경험이었다. 애당초, 그는 전문인력(Specialist)으로 입사했다. 7년의 재직 기간 동안, 개발업무 외에 사업기획, 영업 등 경영관리자로서의 역량까지 더한 인재가 되어 대기업 생활을 마무리했다. 끝이 아름다운 이별이다.

그의 다음번 행선지는 작은 규모의 스타트업이었다. 엘지 그룹 계열사의 프로젝트에 여러 차례 참여했던 중소기업 대표의 눈에 띄어 스카우트된 것이다. 서로를 알아본 결과였다. 물론, 급여와 복지, 미래에 대한 불확실성을 종합적으로 따지자면, 이직하지 않는 편이 낫다. 그러나, 지난 성취와 기회비용만 생각하다 보면, 평생 과감한 도전은 하지 못하게 된다.

정 대표는 대기업에서 프로젝트 파트너로 만났던 여러 중소기업 중 성장 가능성이 높은 H사를 선택했다. 직함은 등기이사 겸 Product Manager 겸 COO(기업 운영총괄 책임자)였다. 한마디로, 이 일 저 일, 안 가리고 다 한다는 뜻이다. 본연의 업무는 없다. 한 치 앞도 예측하기 힘든 스타트업에서 허울 좋은 감투 따위는 큰 의미가 없다. 회사가 생존하고, 성장해야 본인도 살고, 추가적 과실(주식, 배당금, 스톡옵션)도 기대할 수 있기 때문이다.

전자공학 전공자, 소프트웨어 개발자로서의 경력개발이 최우선이지만, 스타트업 이직 후 커리어 관리는 남의 나라 얘기다. 개성 강한 직원들을 어르고 달래는 일, 낯선 업계의 사람들을 만나 영업하고 계약을 체결하는 일, 자금관리 책임자로 은행과 정책금융기관을 다니며 운영 자금을 확보하는 일, CEO와 함께 회사의 미래 먹거리를 발굴하는 일도 모두 그의 일이었다.

대기업에 재직하는 동안 업무역량을 인정받고, 퇴직할 때까지 평판도 나쁘지 않았기에, 그는 이직한 후에도, 대기업 프로젝트 중 일부를 수주받을 수 있었다. 대기업 거래 실적이 생기니, 자연스레 다른 거래처도 늘어났다. 불과 3년 만에, H사는 공공기관에서 인정하는 〈퍼스트-펭귄〉 기업으로 도약해 생애주기별 맞춤형 정책금융 제도를 활용하기에 이른다. 연간 매출은 100억 원대, IT 스타트업이 이 정도면 안정적 사업 기반을 갖추었다고 봐도 무방하다.

이 정도면 제 역할을 다했다고 판단했다. 대기업 7년, 중소기업 3년, 총 경력은 자그마치 10년이다. 담금질의 시간으론 충분하다. 이제, 자기만의 업(業)을 시작할 때가 온 것이다.

정 대표는 자본금 1천만 원의 법인을 설립했다. 사무실은 동업계 지인이자, 거래관계에 있는 회사의 사무실 내 한자리를 무상으로 빌렸다. 임차보증금도 월세도 없다. 창업 후 몇 개월은 직원도 뽑지 않고 버텼다. 비용을 최소화하는 전략이었다. 망하지 않는 것이 제1원칙인 1인 기업의 표본이라 할 만하다.

소프트웨어 개발업, 인터넷 정보 서비스업체인 만큼 매출원가도 없다. 매출액 전부가 오롯이 수익인 셈이다. 게다가 인건비, 임차료와 같은 고정비용도 절약할 수 있게 되었으니, 시쳇말로 숨만 쉬어도 돈이 드는 일 따위는 벌어지지 않는다. 효율성 높은 기업의 탄생이다.

그동안 모아 놓은 근로소득, 퇴직금, 배당금은 적지 않지만, 굳이 남의 시선을 의식해 있어 보이는 스타트업 대표가 될 필요는 없다. 실속 있는 기업인으로 살아남아야 한다. 오랜 사회 경험으로 체득한 지혜다. 건물주와는 예전부터 알던 사이다. 둘은 과거 여러 프로젝트를 공동으로 진행했다.

창업 전, 건물주 사업가가 새롭게 추진하는 소셜 커뮤니티 소프트웨어 개발, 블록체인 개발, 보안 솔루션 구축, 물류시스템 개발업무에 개발자로서 힘을 보태달라는 제의를 받자, 정 대표는 때가 왔다는 확신으로, 법인을 내고, 동등한 파트너사로서 용역계약을 체결한 것이었다.

사업 개시와 동시에 수천만 원의 매출이 발생했으니, 시작이 좋았다. 사무실을 무상으로 사용하는 대신, 공동 프로젝트 진행에 따른 기술 제공, 코딩 개발 등 협력사로서 역할을 다했으니, 서로 윈-윈이다. 그렇다고, 정 대표가 모든 개발에 능한 건 아니다. 제조업, 정보통신업, 콘텐츠 산업, 금융업 등 다양한 업종의 기업체에서 구축하는 플랫폼, 보안 솔루션, 웹사이트 구축 등에 참여해야 하는데, 이는 그의 역량과 한도를 초과하는 일이다. 지금까지는 프로젝트별로 외부 개발인력, 즉, 프리랜서를 활용했다.

그러다 보니, 아무래도 그들의 업무 성과나 열의는 탐탁지 않다. 회사가 성장하기 위해서는 공통된 목표를 갖고 함께 일할 수 있는 직원이 필요하다. 어느 정도 매출이 나오면, 인력 채용은 필수다. 혼자 잘 먹고 잘살겠다고, 1인 기업으로 계속 있을 수는 없다. 그럴 거면, 당초에 독립할 필요도 없다. 회사 다니면서, 연봉 많이 받으면 될 일이다. 기껏 창업했는데, 비용 아끼겠다고, 혼자 코딩 프로그램 짜고, 프레젠테이션 자료 만들고, 영업 다니다가는 얼마 못 가 사라진다. 회사 키워서 돈도 벌고, 기왕이면 고용도 늘리고, 경제적 부가가치도 창출하고, 사회적 효용도 높이려고 사업하는 거다. 이런 게 바로 기업의 사회적 역할이다.

정 대표의 회사는 1년 사이 매출이 계속 늘었다. 사회적 역할을 더할 여력이 확보된 셈이다. 올 하반기 일거리도 충분하다. 블록체인 기업, 전기차 기업, 법률회사, 엔터테인먼트 회사, 해외 기업 등 다수의 기업이 그에게 프로젝트 협업을 의뢰했기 때문이다. 1인 기업이 아닌 이상, 성장하는 기업은 별도의 물리적 공간을 확보할 필요가 있다. 독립적인 사무실이 있어야, 임직원이 소속감과 안정감을 느낀다. 거래처와 미팅하고, 회의할 장소도 필요하다. 구별된 대표의 자리가 있어야 권위가 유지된다. 조직은 위계질서가 필요하다.

이제 법인설립 3년 차, 벤처기업 인증, 지식재산권 등록, 소프트웨어 개발 등 기술개발 투자도 계속해야 계속기업으로 살아남을 수 있다. 판매관리비 절감이 아닌, 규모의 성장에 방점을 두는 기업으로 도약할 시점이다.

정 대표는, 가히 창업가의 정석이라 할 만하다. 한 분야의 전문가가 되기 위해 대학에 진학해 공부하고, 외국 유학도 다녀왔다. 이후 큰 규모의 기업에 들어가 경력을 쌓고, 조직 시스템도 익혔다. 전공 이외의 분야도 접해보고, 시야를 넓혔다. 퇴직 후, 동 업계의 중소기업으로 이직해 전문가로서의 역량을 한층 키우는 한편, 예비창업자로서의 경력도 쌓았다. 이후, 지인으로부터 협업 제안이 들어오자, 기다렸다는 듯이 기업을 창업했다. 그의 나이 서른여덟 때의 일이다.

창업은 인생의 플랜 B가 될 수 없다. 자유를 위한 탈출구도 아니다. 창업으로 하루아침에 일확천금을 얻을 수도 없다. 삶의 전 과정에 성실하고, 준비에 철저한 사람만이 성공적인 창업가가 될 수 있다. 이 글은 성공한 기업인의 무용담이 아니다. 실패하지 않는 창업가 되는 일이 이렇게 어렵다는 기록이다. 아직 정 대표의 미래를 장담할 수도 없다. 스스로 통제할 수 없는 시장 전체의 체계적 위험은 어쩔 도리가 없기 때문이다. 다만, 그가 걸어온 삶의 흔적이 실패의 확률을 낮춰줄 것임은 분명하다. 기업 특유의 비체계적 위험이 높을 리는 만무하다.

돈을 버는 건 또 다른 영역이다. 실력, 시간, 운이 삼위일체가 되어야 가능한 일이다. 그러나, 내가 예측하는 한, 그가 10년 후에도 쓰러지지 않고, 계속 살아남아 성장하는 기업인이 될 가능성이 크다. 그것이 사장학 개론에도 부합한다.

무턱대고 창업하는 건 위험하다. 지금 근무하고 있는 회사가 마음에 들지 않는다고, 직장 상사나 동료가 힘들게 한다고, 충동적으로 퇴사한 후, 퇴직금 털어 창업하는 일은 없어야 한다. 모두 알다시피, 회사 밖은 지옥이다. 그러나, 시기의 차이일 뿐, 누구에게나 퇴직은 찾아온다. 큰 욕심은 내려놓되, 차분하게 독립을 준비해야 한다. 그때까지 제1 덕목은 한 분야의 전문가로서 역량을 키우는 일이다.

준비되었다면, 최선은 정 대표와 같은 1인 기업 창업이다. 경영에 자신이 없다면, 지분 투자자가 되는 것도 간접 창업이 될 수 있다. 정 대표와 같은 될성부를 나무(유망창업기업)의 떡잎을 미리 알아보는 것도 실력이다. 선택은 각자의 몫이다. 어떤 결정이건 간에, 실력과 경험, 과감한 실행력이 뒷받침되어야 한다. 정답은 없을지언정 창업에도, 성공에도 정석은 있다. 행운은 그냥 찾아오지 않는다.

2. 개성은 경쟁력이다

올해 초 큰아들이 고등학교에 진학했다. 가끔이지만 밤늦게 책상에 앉아, 졸린 눈을 비비며 적성에 안 맞는 공부하는 걸 지켜보면, 안쓰러울 때가 있다. 학생의 본분이 공부라고는 하지만, 솔직히, 좋은 대학에 진학해서, 좋은 회사에 취업하는 게, 썩 대단해 보이지는 않는다. 언제부턴가, 보편성보다는 특수성, 개성에 높은 점수를 부여하게 되었기 때문이다. 나는 자타공인 안정적인 직장을 다니며, 가족들과도 오손도손 살고 있지만, 평범한 삶에 별다른 매력을 느끼지 못하고 있다. 아무래도 가보지 못한 길에 대한 막연한 동경이 커진 듯하다.

인생은 한 번뿐이다. 아들이 실제 생활에서는 크게 써먹을 일도 없고, 삶의 지혜와도 별 상관없는, 내신용 암기과목을 붙들고 있는 걸 보면, 지금이라도 당장 교과서 내려놓고, 본인이 즐거운 일, 하고 싶은 일 하면서 살라고 얘기해 주고 싶을 때가 많다. 물론, 그렇다고, 술에 술 탄 듯, 물에 물 탄 듯 대충 살아가도 좋다는 식의 시그널을 주어서는 안 된다. 성실성과 책임감은 인생의 밑바탕이기 때문이다. 학교 성적보다는, 3년 개근상만 받을 수 있다면, 그다음엔 적성에 맞는 일을 찾는 것이 더 중요하다고 믿는다.

큰아들은 아직, 특별히 전공하고 싶은 학업 분야나 장래 희망을 정하진 못한 듯하다. 이런 상황에서, 이제 곧 성인이 될 아들을 보고 있자니, 고민이 깊어진다. 나는 어떤 길라잡이가 되어주어야 할까.

생각이 많아지던 시기, 패션디자이너 출신 송 대표를 만났다. 첫 대면부터 예사롭지 않았다. 보통 미팅 초반 십여 분은 업무 이야기보다는 일상적인 주제로 분위기를 풀어가기 마련이다. 그가 자유로운 영혼의 소유자라는 걸 알기까지 십 분이면 충분했다. 그는 남성인데, 장발에 화장이 짙다. 귀걸이와 문신(타투)도 금방 눈에 들어온다. 동거인은 있으나, 혼인도 하지 않았다. 결혼제도에 반대한다는 의견을 피력하는데도 거침이 없다. 인스타, 페이스북, 유튜브 활동에 적극적이고, 본인의 신청으로 네이버 프로필 등록도 마쳤다.

게다가, 영문으로 표기된 회사 상호를 우리말로 해석하면 '표준오차' 다. 평범한 삶을 거부하겠다는 의지를 대외적으로 공표한 것이다. 이즈음 되니, 그의 인생, 철학이 점점 더 궁금해진다. 그렇다고, 그에게 꼰대처럼 내 생각을 전달할 필요는 없다. 선입견을 버리고, 그와 토론하는 대신, 최대한 이야기를 들어보기로 했다. 그가 진행하는 사업브리핑을 통해 경영자로서의 역량, 시장에 대한 이해도, 핵심 고객군 마케팅 방안, 제품 기획력, 미래 비전 등을 귀담아듣고, 회사의 성장방안을 함께 고민해 보는 게 최선이기 때문이다.

평범함(Standard)을 실수(Error)로 간주하는 그의 독특한 행보는 고등학생 시절부터 시작됐다. 공부에 흥미를 느끼지 못한 그의 관심사는 패션 분야였다. 대학교 진학 대신, 그는 동대문 의류상가에 취업했다. 봉제 공장에서 바느질(미싱), 마름질(재단), 의류생산(재봉) 업무를 경험했다. 수년간 경험을 쌓다 보니, 캐주얼 남성복 디자인 업무에 흥미가 생겼다.

그는 지체하지 않고 20대 중반에 개인기업을 창업했다. 그동안 총 3개의 개인기업을 운영했는데, 모두 남성 의류 소매업이었다. 어떤 옷이 잘 팔리고, 유행하는지, 의류 원단은 주로 어디에서 구매하고, 어떻게 편직을 하는지, 새롭게 디자인한 의류는 어떻게 제품화되는지를 몸소 체험했다. 아무래도 자본력이 부족하다 보니, 시작은 조촐했다. 상품 보관 창고와 촬영 스튜디오만 갖추고, 온라인 판매(전자상거래)에 주력하며 5년여 시간을 보냈다. 이러한 시작은 사업 실패 부담감도 낮추고, 초기 투자 비용도 줄일 수 있는 좋은 선택지다. 하지만, 계속 이렇게 1인 기업가, 영세 소상공인에 머무를 수는 없는 노릇이다. 본인이 직접 브랜딩하고, 디자인한 제품을 생산하겠다는 결심이 서자, 그는 과감한 투자를 결정했다.

서른에 이른 송 대표는, 드디어 법인을 설립했다. 납입자본금은 5천만 원 수준이다. 그의 계획을 모두 실행에 옮기기에는 부족한 규모로도 보이지만, 사실, 그 나이대의 일반적인 청년들과 비교해서는, 꽤 큰 돈을 모은 것이기도 하다. 자신만의 의류 브랜드를 만들기 위해서 중요한 것 중 하나가 가성비 좋은 원단을 구하는 일이었다. 그는 오래전부터 알고 지낸 중국 에이전시를 통해 의류 원단을 수입하면서, 편직 제조에 특화된 파트너사와 협업하여 품질 좋은 섬유 원단 개발을 병행했다. 그와 동시에, 설비가 잘 갖추어진 봉제 공장을 섭외하여 그가 디자인한 제품을 전량 위탁생산하기로 했다.

모두 협업이 필요한 일이다. 혼자서 모든 일을 해낼 수는 없는 법이다. 경영학 교과서에 나오는 분업화, 전문화, 시너지, 비교우위, 거래비용 같은 용어나 이론들을 그는 따로 공부하지 않았지만, 사업하면서 자연스레 체득한 셈이다. 궁하면 통하는 법이다. 준비가 부족하더라도, 일단 시작하는 것이 중요하다.

다행히, 이제 2년 차를 맞이한 그의 회사는, 벌써 어느 정도 안정 궤도에 올라선 것으로 보인다. 매월 2억 이상의 매출이 꾸준하게 나오고 있고, 소비자들의 반응도 호의적이다. 패션에 문외한인 내가 보기에도 옷이 예쁘고, 입고 싶다. 때때로 웃음꽃이 피어나는 일터가 되기까지, 무려 5년이 걸렸다. 그래도, 방심할 틈은 없다. 워낙 경쟁이 치열한 분야이기 때문이다. 계속해서 후속 아이템을 만들어 내고, 히트작도 꾸준히 내어야 한다.

자본금 5천만 원은, 초기 원료 구매비, 창고와 사업장 임차료, 촬영 장비 도입비, 디자이너 등 인력 채용비, SNS 마케팅비를 충당하기엔 턱없이 부족한 액수다. 첫 몇 개월간 돈 들어갈 일은 계속인데, 매출이 발생하지 않으니, 갑갑할 노릇이었다. 정작 자금이 필요한 시기였지만, 외부 투자를 받거나, 은행에서 대출받는 건 불가능했다. 밑 빠진 독에 물 붓기 금지는 '채권자(은행) 헌법' 1조 1항이다.

그러다 보니, 결국 기댈 곳은 가족뿐이었다. 부득이 어머니에게 SOS를 칠 수밖에 없었다. 결국, 어머니는 자신의 부동산을 담보로 제공하고, 은행에서 빌린 돈을 아들에게 내주었다. 자식 이기는 부모가 어디 있겠는가. 송 대표는 성공이 절실했다. 나이 들어서도 불량 아들로 남을 수는 없는 노릇이다. 물론, 부모와 같은 특수관계인에게서 빌린 자금은 급하게 상환할 필요가 없다. 하지만, 금융기관의 입장에서 기업이 회사 밖 제삼자로부터 융통한 자금을 계속 활용한다는 건 결코 좋은 신호가 아니다. 오히려 신용평가 등급 하락의 요인이다. 기업의 신용도나 차입금 상환능력이 인정되면, 은행이나 투자자가 먼저 나서서, 돈을 입금하려 하기 때문이다.

다행히, 최근 들어 상황은 나아졌다. SNS 홍보에 주력했더니 브랜드 인지도가 많이 올라갔고, 매출액도 빠른 속도로 상승 중이다. 송 대표의 자유분방함과 튀는 행보도 시장에서 높이 평가받는다. 업계 특성을 고려한 경영전략의 일환이라는 세간의 색다른 해석도 들린다. 그는 하던 그대로인데, 1년 사이 외부의 평가는 극과 극이다. 기업이 성장하니, 시중은행과 정책금융기관 여러 곳에서도 더 낮은 금리를 제시하며, 그에게 연락한다. 세상사 표준오차가 참 크다. 잘 되고 볼 일이다.

무엇보다, 어머니에게 받은 것을 되돌려드릴 수 있게 된 게 가장 큰 수확이다. 얼마 전에는 여성용 의류 브랜드도 새로 시작했다. 반응은 좋다. 최근 합류한 디자이너의 공이 크다. 아이디어가 뛰어난 직원의 제안을 시작으로, 일본의 무신사로 불리는 의류 플랫폼에 입점도 했다. 에이전트의 추천으로, 코트라(Kotra)에서 주관하는 수출 희망 기업 프로그램 신청도 완료했다. 일대일 멘토링 서비스가 제공된다고 하니, 이젠, 수출기업으로 거듭날 일만 남았다.

10년 이상 패션의류 업계에 종사하다 보니, 그의 경험과 경력이 회사의 핵심경쟁력으로 자리매김했다. 원료 수입, 제품 개발, 디자인, 생산, 홍보, 판매 전 과정에 걸쳐, 조력자, 파트너들이 생겼다. 정부(정책) 기관과 은행도 더 이상 갑이 아니다.

낮은 금리의 정책자금 지원도 결정되었으니, 본격적인 외형 성장이 기대된다. 기존 주력 제품의 판매량도 늘고 있고, 오프라인 매장들도 업무 제휴를 요청하고 있다. 자금 사정이 좋아지니, 원단 대량 할인 구매와 경력 디자이너 채용도 가능해졌다. 이제 더 좋은 품질의 옷을 만들어 더 낮은 가격에 판매할 수 있다.

어릴 적 말썽꾸러기는 이렇게 특별한 이야기의 주인공이 됐다. 공부 외의 적성을 일찍 발견하고, 체험 삶의 현장 속으로 과감히 뛰어든 반항아는 우여곡절 끝에 유망 중소기업의 대표이사로 거듭났다. 이론보다는 실무 위주로 경력을 쌓다 보니, 뒤늦게 지적 호기심도 살아났다. 야간 대학에 진학해 디자인 공부를 병행할 계획임을 내비친다. 늦게 배운 도둑질이 더 무섭다고, 장학생이 된 그의 모습이 그려진다.

청년 기업가는, 이른 나이에 자신이 종사하는 업계 전반에 대해 통달할 수 있을 뿐만 아니라, 고용주로서 인력 운영, 인재 개발, 더 나아가서는 인간관계 전반에 대한 노하우도 획득할 가능성이 크다. 청년 창업가가 박수받을 이유는 많다.

송 대표는 모든 일을 직접 해결하려는 만기친람(萬機親覽)형 경영자가 되는 대신, 권한의 하부 위임과 자율성을 최대한 발휘하는 형태로 시스템을 구축 중이다. 그러다 보니, 직원들도 신규 아이디어를 과감히 실행할 수 있고, 결과적으로는, 예상보다 빨리 후속 히트작도 낼 수 있었다. 제품 포트폴리오가 계속 생기는 건 덤이다. 스타트업 경영전략 연구에 좋은 사례가 될만하다. 그가 그려나가는 삶의 궤적은 모범적으로 살아가는 것이 과연 모범답안일까 하는 질문에 대한 반대증거다.

물론, 이 사례 하나만을 가지고 확대해석하거나 일반화할 수는 없다. 또한, 30대는 아직 성공 여부를 논하기에는 너무 이른 나이다. 그렇지만, 송 대표의 창업 도전기는 '공부로 성공하기 힘든' 대다수 학생과 학부모가 곰곰이 곱씹어 볼 만한 사례다. 이 세상에 평범한 인생, 삶의 표본, 가장 보통의 존재 따위는 존재하지 않는다. 누구든, 이 세상 가장 비범한 존재다.

네모난 교실, 똑같은 교복 속에도 각자의 방은 있다. 개성이 보편성에 부합하는 시대, 저마다의 개성이 넘치는 사람들이 각자의 방에서 색다른 꿈을 찾아 나서길 기대해 본다.

3. 창업가는 퍼스트 펭귄이다

펭귄들은 무리를 지어 생활한다. 먹잇감을 구하려면 바다에 뛰어들어야 하지만, 바다표범과 같은 바다의 포식자들이 두려워 망설이게 된다. 이때 가장 먼저 바다에 뛰어들어 다른 펭귄들도 뒤따라 뛰어들도록 이끄는 펭귄을 **퍼스트 펭귄**이라고 한다. 누군가 새로운 아이디어나 기술력을 바탕으로 새로운 시장에 뛰어들어야 다른 후발주자도 뒤따라 진출할 수 있다.

실패를 두려워하지 않는 첫 번째 도전자가 있어야 새로운 시장(블루 오션)이 생기는 법이다. 실패할 줄 알면서도 위험을 감수하며 목표를 나아가는 사람들에게는 기꺼이 퍼스트 펭귄 상이 주어져야 할 것이다.

우리는 대부분 첫 번째 펭귄이 되기를 두려워한다. 그게 보통의 인간 본성에 부합하기 때문이다. 굳이 영웅심리를 발휘할 필요는 없다. 목숨은 소중하고, 내가 지켜야 할 가족과 동료도 생각하지 않을 수는 없다. 첫 번째 생존자가 건네준 파이를 감사히 받으면 될 일이다. 평소 무리 속에서 규칙 잘 지키고, 성실히 살며, 가끔 선행도 베푼다면, 나에게 돌아오는 파이는 다른 누군가의 몫보다 조금 더 많을 수도 있다. 모범생으로 살면, 안전성은 보장되고, 최소한 손해 볼 일은 없을 테니 말이다.

다만, 퍼스트 펭귄을 질투하거나, 비난해서는 안 된다. 공정성, 형평성, 정의감 운운하며, 첫 번째 펭귄의 목숨 건 도전에 따른 몫에 대해 감 놔라 배 놔라 하는 억지를 부려서는 안 될 일이다. 말은 멋있지만, 사실, 바다에 첫 번째로 뛰어드는 펭귄의 목숨은 보장하기 어렵다. 설령 한두 번은 운 좋게 살아남는다 해도, 여러 번 반복되면, 생존확률은 극히 낮아지기 마련이다. 성공확률이 높다면야 누구인들 본인 이름(브랜드) 걸고, 자신만의 업(業)을 시작하고 싶지 않겠는가.

권 대표는 나와 동갑내기다. 알고 보니, 같은 대학 출신이기도 하다. 그렇다면, 열 중 여덟, 아니 아홉은 대학교 졸업과 동시에 창업이 아닌, 취업의 길로 들어섰으리라. 본인의 능력과 가치가 어느 조직에 입성하느냐로 결정된다고 믿는, 이른바 모범생 집단에 속하기 때문이다. 실제로, 나와 같은 대학 같은 과 출신 동기 중에서, 학교 졸업과 동시에, 찬 바다로 뛰어든(창업한) 동기는 한 명도 없다.

그도 20대부터 회사를 창업한 건 아니었다. 그렇다고 고시 공부를 하거나, 회계사나 변리사 같은 전문 자격증 공부를 한 것도 아니다. 이름난 대기업이나 공기업에 취업하기 위해 인턴 경험을 쌓은 것도 아니다. 다만, 그는 남들 보기에는 조금 답답하고 느려 보여도, 긴 호흡으로 인생을 설계했다.

그는 동 대학원에서 국제관계학을 전공하고, 미국으로 건너가 경영학(MBA) 석사학위를 취득했다. 그런데, 전공과목이 특이했다. 사회적 기업을 전공한 것이다. 기업의 사회적 책임, E.S.G.(환경, 사회, 지배구조) 경영에 대한 논의가 본격화되기 훨씬 전의 일이다. 자본주의의 종주국에서 유학하며, 흔히들 선택하는 재무, 금융, 경영전략(컨설팅) 분야가 아니라, 동반 성장에 대해 고민했으니, 남다른 행보였다.

학위를 마친 그의 다음번 선택지도 남달랐다. 그는 UN 사무국 산하 기관에서 인턴십을 했다. 맡은 업무는 공공분야와 시민사회 부문을 대상으로 하는 역량 개발 워크숍이었다. 선진국의 역량과 성과를 개발도상국의 정부, 기관, 단체에 제공하는 지식공유자의 역할을 한 것이다.

그는 UN 관계자들을 대상으로 프레젠테이션하고, 예산을 확보해, 사회적 기업가를 꿈꾸는 국내외 예비창업자들을 지원하는, 동반 성장 프로젝트를 구상하고 실행했다. 이때의 경험으로 그는 삼십 대 후반 창업기획자의 길로 들어섰다.

무슨 일이든, 한 분야의 전문가가 되려면 10여 년의 시간은 필요하다. 매일 3시간씩 10년을 계속하면 1만 시간이 걸리니, 1만 시간의 법칙과도 일맥상통한다. 그가 대학을 졸업하고, 자기 회사를 설립하기까지 걸린 시간이 딱 그 정도다. 서두르지 않고, 남들 분위기에 휩쓸리지 않으며, 10년을 준비했으니, 이젠 창업한다고 해도, 준비가 안 된 무모한 펭귄이 될 리는 만무했다.

권 대표는 엑셀러레이터(Accelerator)다. 아직은 우리말로 정확하게 번역하기가 어려운 용어다. 그래도 영어를 그대로 쓰는 것은 아무래도 어색하니, 우리말로 바꾸어 보자면, 가속자(加速者)라는 직역보다는, 창업기획자 겸 초기 투자자 정도로 번역하는 게 적당할 듯하다. 그의 회사는 전도유망한 초기 스타트업을 발굴한 후, 수개월간 멘토링, 창업 교육, 시설제공, 투자설명회 개최 등의 프로그램을 지원하며 성장을 가속화(accelerating) 하는 역할을 한다.

그가 경영 컨설턴트와 다른 점은, 스타트업에 필요한 초기 운영 자금을 직접 투자한다는 점이다. 가진 거라곤, 사업 아이템 혹은 아이디어밖에 없는 (예비) 창업가에 자본금을 투자한다는 건, 사실 높은 위험을 감수하는 일이다. 퍼스트 펭귄에 투자하는 퍼스트 펭귄인 셈이다. 그러다 보니, 아무래도 투자 여력은 적었다. 본인 자본금이 많지 않은데, 제삼자에게 큰 금액을 투자한다는 건 어불성설이다. 그래도, 사업 초창기 3천만 원, 5천만 원, 크게는 1억 원까지도 과감히 투자했다.

그가 처음부터 천사(Angel) 투자자가 되려고 했던 건 아니다. 납입자본금 5천만 원의 법인이 어떻게 타 기업 투자를 생각할 수 있겠는가. 당장, 그가 공들여 영입한 인재들의 몇 개월 치 급여만 해도 족히 자본금 규모를 넘어설 판이다. 그의 소명은 동반성장의 가치, 환경보호와 생태계의 복원을 중시하는 기업가를 최대한 발굴하고, 컨설팅하는 것이었다. 뜻을 같이하는 예비 기업가, 기술력과 아이디어를 가진 사람들을 모집한 후, 그들을 동기

부여함과 동시에, 사업성 있는 기술과 아이디어는 지식 재산화(특허 출원과 등록)했다. 여러 기업이 회의와 토론할 수 있는 사무 공간을 제공하고, 각 전문 분야의 멘토들을 모셔 와 청년 창업가들에게 사업화의 길을 제시했다.

그중 싹수가 보이는 떡잎에는 직접 초기자본금도 대고, 부족하면 직접 뛰어다니며, 대기업과 금융기관, 공공기관들로부터 투자받았다. 뜻을 같이하는 단체들과 협약사업도 계속 늘려나갔다. 전국 지방자치 단체 창조경제 혁신센터 내 입주기업들을 위한 맞춤형 컨설팅, 홍보(IR), 투자유치 활동도 병행했다.

시간이 흐르자, 권 대표의 회사에 투자하는 기관, 개인, 단체들이 늘어났다. 유상 증자 횟수만 10회 이상, 지금껏 모집된 투자액만 해도 수십 억에 이른다. 그가 허튼짓하지 않고, 엉뚱한 데 돈 쓰지 않고, 투명하고 책임감 있게 기업을 경영한다는 입소문이 났기 때문이다. 물론, 돈이 CEO의 인간 됨됨이를 따라 오는 건 아니다. 권 대표와 회사의 전문가들이 직접 발굴하고, 물심양면 지원하는 기업들이 잘 성장하고 있기 때문이리라.

권 대표의 회사는 설립 후 8년째 자산규모와 매출액, 영업이익이 지속 증가세다. 매출액과 영업이익은 대부분 컨설팅 업무에서 나온다. 요즘은 대기업, 금융기관, 지방자치단체, 공공기관으로부터 의뢰받은 사회 공헌 사업과 대. 중소기업 동반 성장 프로젝트, 해외 진출사업 사전 검토, 탄소 중립 경영 타당성 검토 등

ESG 경영 관련 업무가 많다.

선순환이 반복되고 있다. 규모가 큰 기업, 단체들이 용역을 의뢰하면서, 성장성 있는 중소기업의 발굴, 그리고 투자를 함께 위임하기 때문이다. 법인설립 10년 차, 이젠, 가만히 있어도 여기저기서 돈을 싸 들고 와서, 투자할 만한 기업을 물색해 달라는 요청이 즐비하다. 여태껏 투자한 기업의 총수는 150개 이상, 총투자 금액은 200억 원이 넘는다. 외부의 투자조합, 펀드에서 수탁받은 계좌 잔액도 백억 원에 달한다. 주력사업인 경영 컨설팅도 가려서 받을 정도다. 실로, 엄청난 성장 속도가 아닐 수 없다.

그러나, 성공 투자만 있는 것은 아니다. 작년만 해도 벌써 4개의 투자기업이 폐업했다. 모두, 청운의 꿈을 안고 사업을 시작한 청년 기업가들이 운영하던 벤처였다. 음식점 프랜차이즈업, 디자인업, 광고업 등 업종도, 폐업 사유도 다양했다. K의 투자 금액은 적게는 5천만 원에서, 많게는 1억 원까지니, 연간 손실 금액은 무시하지 못할 수준이다. 단순히 투자 손실만 문제가 아니었다. 지분만 투자하고, 경영은 기존 CEO를 믿고 맡기는 걸 원칙으로 삼다 보니, 예상치 못한 추가 손실까지 떠안게 되는 일이 생겼다. 종속회사 지분율이 50%를 넘게 되면, 2차 납세의무도 지게 된다. 자회사가 국세를 체납하면, 모기업이라는 이유로 책임을 떠안는 일까지 벌어지는 것이다. 몇 년 치 부가세, 법인세가 한 번에 부과됐는데, 그 금액이 억대였다. 애당초 사업 계획서, 그리고 사람만 믿고 투자한 것이었으니, 이제 와 누굴 탓할 수도 없는 노릇이다.

이렇듯, 숱한 퍼스트 펭귄들이 실패자가 되곤 한다. 어떤 경우엔 그 실패는 돌이키기 힘든 결과로 이어지기도 한다. 만약 10년 담금질의 시간이 없었다면, 권 대표도 능력 없고 어쭙잖은 사기꾼, 혹은 실패한 투자자가 되었을 수도 있다. 내 돈을 불려주면 천사(Angel)지만, 그 반대는, 바로 악마(Evil)가 되는 게 세상인심이다. 매해, 중도 탈락하는 투자처는 생기기 마련이다. 족집게가 아닌 이상 불가피하다. 주식시장에 상장된 기업이라 해도 10년 앞은 모르는 게 세상일이다. 삶(생존) 아니면 죽음(폐업)밖에 없는 기업은 한 번 무너지면 사실상 재기 불능이다.

실패한 투자금을 대손상각 처리했음에도, 그의 회사는 작년에도 20억 이상의 흑자를 실현했다. 투자기업에 대한 평가손실은 성과에 비할 바 못 된다. 지분을 보유한 회사만 해도 100개 가까이 되는데, 어찌 다 잘 될 수 있겠는가. 잘못된 일 말고, 잘된 일에 주목해야 사업도 인생도 술술 잘 풀리기 마련이다.

그가 몇 해 전 투자한 인공지능(AI) 기술개발 회사, 그리고 파력(波力) 에너지 회사가 미래 성장성과 기술력을 인정받아 기업공개(IPO)를 준비한다는 소식이다. 이 두 기업에 투자한 금액은 합계 2억 원이다. 이를 현재 기업가치로 환산하면, 무려 2백억 원에 이른다. 이 추세로, 주식시장에 상장하면, 권 대표와 주주들, 그리고, 스톡옵션을 부여받은 임직원들은, 말 그대로 돈방석에 앉게 된다.

퍼스트 펭귄이 숱한 위험을 무릅쓰고 난 후, 경제적 과실로 보상받는 건 당연한 이치다. 그의 도전은 이렇게 해피 엔딩이 되어 가고 있다. 권 대표와 회사 임직원들에겐, 이미 유망한 창업기업을 발굴하고, 지원하며, 함께 성장해 나갈 수 있는, 전략과 시스템, 그리고 성공 DNA가 내재화되었기 때문이다. 또한, 수많은 주주와 이해 관계자들, 그리고 정부 부처까지도 동반 성장의 파트너로 함께한다.

퍼스트 펭귄은 47세의 젊은 나이에 생을 마감한 미국 카네기-멜론 대학의 컴퓨터공학과 교수 랜디 포시(Randy Pausch)의 마지막 수업에서 나온 말이다. 그가, 췌장암으로 6개월의 시한부 선고를 받은 지 얼마 안 된 때였다. 그는 생의 마지막 순간, 당신의 어릴 적 꿈을 실현하라고 설파했다. 강의를 통해, 그는 실패의 위험을 감수하며 목표를 향해 나아가는 학생에게 퍼스트 펭귄 상을 수여했다. 불확실하고 위험한 상황이라도 용기를 내 도전하라고 독려한 것이다. 그래야만 다른 누군가도 연이어 도전할 수 있고, 사회에 동기부여가 가속화될 수 있기 때문이다.

공교롭게도, 권 대표도 올해 47세다. 이제, 그는 퍼스트 펭귄 상 수상자보다는, 시상자의 자리가 어울릴 정도의 베테랑 경영자가 되었다. 이제, 카네기-멜론 대학이 아닌, 서울 성수동에 터 잡은 그의 본사가, 예비 창업가들의 도전정신을 높이는 투자자

(Accelerator), 동기부여자 (Motivator), 촉진자(Promoter)의 본류가 되어가고 있다.

회사원과 기업가, 그 사이 '투자자'의 자리가 있다. 99%의 투자자가 상장 기업의 주식을 사고팔 때, 1%는 기꺼이 퍼스트 펭귄 투자자의 길을 간다. 물론, 투자 위험은 더 크다. 하지만, 상대적으로 많지 않은 금액으로, 기업의 초기 성장을 도모하는 진짜배기 투자자, 날개 없는 천사 소리도 들을 수 있다. 물론, 선택은 오롯이 본인의 몫이다.

4. 서울대 출신 창업가가 많아져야 한다

공교롭게도 한국 벤처 1세대로 불리는 김택진 엔씨소프트 대표, 故 김정주 전 넥슨 대표, 김범수 카카오 의장, 이해진 네이버 창업자는 모두 비슷한 또래의 서울대 공대 출신이다. 현재 우리나라의 청년 창업가 중 이들의 영향을 받은 사람들이 많다는 것은 주지의 사실이다. 태어나보니 금수저 집안이거나, 타고난 머리로 의대나 법대에 진학해 전문 자격증을 취득하거나, 국가고시를 패스하는 등 전통적인 방식 외에, 성공 방정식을 푸는 공식이 하나 더 생긴 셈이다. 바로, 창업이다.

물론, 스타트업의 성공 요인 1순위는 사업 아이템(아이디어)과 기술력이다. 하지만, 창업가의 역량, 시쳇말로 스펙(Spec)도 중요한 요소임을 부인하기 어렵다. 언론에도 "서·카·포·연·고 나와야 유리한 투자유치, 벤처도 학벌" 이라는 제목의 기사가 버젓이 공개되는 것이 현실이다. 게다가, 서울대 출신 창업가가 시작한 IT, 게임, 플랫폼 기업들이 십수 년 만에 우리나라를 대표하는 대기업으로 성장한 사실까지 확인되었으니, 아무래도 투자자는 스타트업 대표의 학력이 눈에 들어오게 마련이다.

실제로 몇몇 연구자들의 분석에 따르면, 벤처캐피털(VC)로부터 연속 투자를 유치한 국내 스타트업 대표 중 유독 서울대, 카이스트 출신이 많다. 10명 중 6명 이상이 상위 5개 출신 대학 출신이라는 통계, 심지어 10명 중 4명이 두 대학 출신이라는 연구 결과도 있다. 물론, 아이디어의 신선함과 혁신성, 향후 성장 가능성을 가장 우위에 두어야 할 벤처 투자가 인맥 투자로 변질이 된 데 대한 우려의 목소리도 있다. 투자자가 직접 발로 뛰어 잠재력 있는 기업을 찾기보다, 학연 등을 이용한 네트워크 투자에 의존하면, 수면 아래 진짜 숨은 진주를 발굴하지 못할 수도 있기 때문이다.

그러나, 달리 생각해 보면, SKY나 카이스트, 포항공대에서 창업을 꿈꾸는 사람이 많다 보니, 자연스럽게 이들에 대한 투자 비중이 높다고 해석할 여지도 있다. 실제로, 서울대학교 창업지원단 홈페이지에 접속해 보면, 가히 우리나라 청년창업의 메카가 따로 없다 싶을 정도로 창업, 투자지원 프로그램이 활성화되어 있다. 학교 동문 선배들이 후배들을 위해 자발적으로 투자금을 재단에 쾌척하거나, VC, 펀드, 금융사들도 끊임없이 지원단 소속 (예비) 창업가들과 소통을 진행하고 있으니, 그들에게 투자와 지원이 몰리는 건 어쩌면 당연한 결과인지도 모른다.

어쨌건, 내로라하는 인재들이 취업 대신 창업을 선택하고, 그런 창업가들에게 모험자본이 투입되는 현상은, 실(失)보다 득(得)이 크다. 우리나라 최고의 인재가 의대나 법대(로스쿨)에 진학해 전문 직업인이 되는 일도 필요하겠으나, 신약 개발에 주력하는 바이오 기업이나, 법률 자문과 산업재산권 개발을 돕는 법률벤처 기업의 CEO가 되는 일은 국가 경제의 규모를 키운다는 측면에서도 장려할 만하다.

오늘 만난 김 대표는 서울대 출신이다. 그는 서울대에서 경영학과 컴퓨터 공학을 복수 전공했다. 공동창업자 겸 2, 3대 주주인 후배들도 모두 같은 대학 공대 출신이다. 십수 년째 사무실도 서울대입구역 근처에 있으니, 명색이 그들이 창업한 기업이 서울대라는 브랜드에 부합함은 의심의 여지가 없다.

김 대표 본인도, 서울대 출신 프리미엄을 굳이 부정하진 않는다. 공동창업자 3인이 20대 대학생 시절 십시일반 마련한 초기자본금 2천만 원으로 법인을 설립한 이래, 지금에 이르기까지 7년간을 외부 투자금만으로 회사를 운영해 올 수 있었던 데는, 아무래도 서울대 간판이 한몫을 차지했을 터다.

그는 모교 창업지원단을 통해 에인절(Angel) 투자자, 엑셀러레이터(Accelerator) 같은 초기 투자자들로부터 수억 원을 유치할 수 있었고, 이후에도 벤처캐피털(VC), 사모펀드(PEF), 정부 모태펀드, 외국 투자회사, 대기업, 시중은행 등 이름만 대면 알 수 있는 투자자들로부터 무려 수십억 원을 투자받았다. 중소벤처기업부, 신용보증기금, 기술보증기금, 중소벤처기업진흥공단 등 정부, 공공기관들의 정책적 지원(자금)도 계속되고 있다.

누가 뭐래도, 일반적인 창업가는 생각하기 힘든 규모의 외부 조력이다. 하지만, 이런 결과만을 보고, 학벌이 깡패네, 기울어진 운동장이네, 같은 자조 섞인 푸념만 늘어놓기엔 다소 성급하다. 그들은 회사의 핵심경쟁력이 경영진의 스펙에 있지 않음을 자신 있게 증명할 수 있기 때문이다.

회사는 비대면 교육콘텐츠 소프트웨어를 개발, 제작, 판매하는 IT 기업이다. 지금부터 7년 전 온라인 화상강의에 특화된 프로그램을 처음 개발했다. 코로나 팬데믹 이후 우리나라 사람들도 이젠, ZOOM 프로그램에 익숙한 데, 이와 비슷한 소프트웨어다. 그런데, 당시만 해도, 온라인 강의, 비대면 화상회의에 대한 수요가 적었기 때문에 기술 투자 비용 대비 실제 매출은 많지 않았다. 학부모도, 학생도 직접 선생님(강사)과 대면해 수업받는 것이야말로 진짜 강의요, 이심전심(以心傳心)이라고 믿어 의심치 않았다.

그들도 처음부터 온라인 교육콘텐츠 전문 소프트웨어 개발을 주력으로 했던 것은 아니다. 그들의 첫 사업모델이 화상 과외 서비스였고, 외부 거래처에서 요청했던 웹서비스도 하필이면, 온라인 화상회의와 관련된 것이었을 뿐이다. 그래도, 다행인 점은 온라인 교육 시장의 성장 가능성이 크다는 것이다. 김 대표는 메가스터디 같은 교육업체의 폭발적 성장, 줌(zoom) 프로그램의 보편화를 확인하고, 이 산업에 집중하기로 했다.

고객들을 끌어들이기 위해서는 끊기지 않는 동영상, 자연스러운 필기도구 사용, 미디어 간 높은 연동성이 필요했다. 물론, 첫술에 배부를 수는 없다. 수많은 실패와 시행착오가 있었다. 천신만고 끝에 총 15건에 이르는 국내외 특허권을 취득했다. 이 산업

재산권이 회사의 가치를 높이고, 외부 투자자들에게 어필한 핵심 요인이다.

한편, 그사이 국내외 경쟁사도 하나둘 늘어났다. 특히, 줌, 마이크로소프트, 구글 같은 해외 대기업들의 소프트웨어를 사용하는 국내 교육기업들의 수가 증가하는 것이 신경 쓰였다. 온라인 교육시장이 커지는 만큼, 경쟁도 날로 심해지는데, 기술 고도화를 위해서는 소프트웨어 구매, 서버 증설, 개발자 채용을 멈출 수는 없다. 사무실 월세, 각종 공과금도 반드시 내야 하니, 매월 최소 1억 원 이상은 고정비용으로 지출된다.

어쩔 수 없이 창업자 3인방의 인건비를 줄이고, 외부에 맡기던 서버 유지를 내부화하고, 사무실 규모를 줄이면서 판매관리비를 줄이는 중이다. 남들은 투자금으로 벤츠도 사고, 강남에 사무실도 내고, 급여와 복지를 높여가며 개인 주머니도 두둑하게 챙긴다던데, 김 대표에게는 그저 달나라 이야기다. 이제 7년 차에 접어든 회사의 기술력과 경영진의 역량이 시장에서 인정받기 시작했고, 매출액도 최근 3년간 300% 이상 드라마틱하게 성장 중임에도, 그는 여전히 검소하고, 겸손하다.

다행히, 올해 하반기 들어 유명한 교육기업 몇 곳이 외국기업의 소프트웨어 사용을 중단하고, 김 대표 회사를 파트너로 선정했다. 8월부터는 프로그램 동시 접속자 수도 몇십 배 많아졌다. 정해진 수수료를 받는 방식에서 접속자 수, 사용 시간 수를 기준으로 매출액 산정 기준이 바뀌었기 때문이다. 이제, 후속 투자가 없더라도 회사 자금 사정은 나아질 전망이다. 게다가 겨울방학 성수기도 다가오고 있으니, 그동안 외부 투자자들의 피 같은 투자금으로 7년을 버텨낸 결실이 어느 정도는 맺어질 듯하다.

그러나, 여전히 김 대표는 투자자들에게 미안하다. 올해 매출액은 30억 원 이상으로 예측되나, 거래처가 하반기 이후 늘어난 탓에, 아직 손익분기점(BEP)을 넘어서지 못하기 때문이다. 조심스레, 올해도 적자가 예상된다. 고금리, 경기침체 탓에 투자시장은 여전히 활성화되지 못하고 있고, 회사 곳간도 비어 가는 중이었기에, 그동안 김 대표의 마음고생이 이만저만 아니었다.

아직 회사 근처 오피스텔 전세살이를 면치 못하고 있는 김 대표는, 올 초까지만 해도 전세보증금을 빼서 회사에 투입하는 것까지 고려했다. 회사를 안정적 성장궤도에 올려놓기 전까지, 결혼은 염두에 두지 않았다는 점이 이제 와선 오히려 다행이라고 말하는 걸 보니, 서울대 출신 천재에게도 창업은 정말 녹록지 않은 일임을 새삼스레 깨닫게 된다.

그래도, 초기 소액 투자자들부터 십억 원대 후속 기관투자자에 이르기까지, 십수 명에 이르는 외부 투자자들은 여전히 김 대표를 신뢰하고, 응원한다. 회사의 성장성과 기술력, 그리고 대표이사의 윤리성과 진정성을 믿기 때문이다. 매월 경영 현황과 자금 현황을 업데이트해서 일일이 주주들에게 보고하고, 본인 인건비를 선제적으로 줄이는 와중에도, 고객 수와 매출액, 특허 출원 건수는 계속해서 늘어나고 있으니, 과연 누가 그를 탓할 수 있으랴.

본래, 투자는 모험(Venture)이다. 그러니, 벤처투자자니, 벤처기업이니 하는 용어가 붙는 것이다. 김 대표가 사기꾼이 아닌 것이 확인된 이상, 그가 투자자들에게 책임질 일도, 미안해할 필요도 없다. 투자자는 주어진 정보를 토대로 투자라는 의사결정을 내린 것이고, 기업가는 투자금을 바탕으로 꿈을 실현하기 위해 한 발씩 내디뎠을 뿐이다. 책임도 성과도 각자의 몫이다.

김 대표는 내년을 해외 진출의 원년으로 삼고, 다양한 프로젝트를 추진 중이다. 아무래도, 국내 온라인 교육 소프트웨어 시장은, 기업상장(上場)이라는 꿈을 이루기에는 규모의 한계가 있기 때문이다. 영국에서 열리는 교육·테크 기업 박람회 참석(출품)을 시작으로, 스페인, 독일, 미국의 온오프라인 전시회에 계속 참여할 예정이다. 다행히 반응은 좋다. 온라인 시연회를 지켜본 스페인과 독일의 플랫폼 기업들이 벌써 기술수출을 의뢰하거나, 업무협약을 요청해 왔다. 그에 걸맞게 김 대표도 해외영업과 홍보를 담당할 직원을 추가로 채용하고, 개발인력도 충원할 예정이다.

그의 꿈은 미국 나스닥 상장이다. 그때까지 회사가 계속 생존, 성장을 하려면, 기술력을 계속 업그레이드하고, 새로운 사업모델도 발굴해야 한다. 사람과 기술에 대한 투자가 핵심경쟁력인 기업이다 보니, 외부 투자도 추가로 유치해야 한다. 국내, 해외 거래처들을 대상으로 계속 기술 시연도 하고, 거래처도 늘려야 한다. 아직, 갈 길은 멀다.

그러나, 그는 남에게만 손 벌리지 않는다. 꿈을 공유하기 위해, 성장의 과실을 나누기 위해, 얼마 전 직원들에게 주식매수선택권, 즉, 스톡옵션(Stock Option)을 제공함과 동시에, 본인의 1년치 연봉을 고스란히 회사에 재투자는 유상 증자를 단행했다. 이렇다 보니, 내부 직원들도, 외부 투자자들도 회사의 계속기업 가치, 사업 실현 가능성을 높게 평가한다.

현실적으로, 상장 기업이 될 확률은 만분의 일도 되지 않는다. 게다가 나스닥 상장이라니, 어쩌면, 낙타가 바늘구멍 통과하는 것보다 어려울지도 모른다. 꼭 기업을 외부인들에게 공개하지 않더라도, 어느 정도 규모를 키운 후에 다른 기업에 매각할 수도 있고, 외국계 사모펀드에 경영권을 넘길 수도 있다. 그러나, 그는 그동안 믿고 응원해 준 수많은 이해관계인, 그리고, 선의의 천사투자자들을 위해 가급적 상상 이상의 선물로 보답하고 싶다. 모험투자자에게는 뭐니 뭐니 해도, 상상과 모험으로 가득한 어드벤처(ad-Venture) 영화티켓(Movie- ticket)이 제격이다. 시나리오 하나만 보고도 기꺼이 제작비를 투자한 스태프에게 영화 상영 수익에 따른 러닝 개런티(Running-guarantee)를 제공하는 건 자연스럽다.

그들의 고객, 시장, 산업은 이제 글로벌이다. 확대된 세계관 속에서 치열한 경쟁을 뚫어낸 후, 세상에 증명해야 한다. 서울대 진학이 지상과제의 끝이 되어서는 안 됨을, 서울대 출신이어서 투자받기 쉬운 것이 아니었음을, 우물 안 개구리로 사는 데 만족해서는 안 됨을 말이다. 오히려, 서울대 출신임에도, 일반적인 동문과는 달리, 벤처창업으로도 성공할 수 있음을, 겸손의 미덕으로 존경받는 CEO가 될 수 있음을, 물심양면 도움을 주는 이해관계자들에게 성과와 보상으로 보답할 수 있음을, 책임경영 투명경영 윤리경영과 같은 교과서적 용어들이 실제 현실에도 적용될 수 있음을, 기꺼이 증명하고자 한다.

서울대 출신 창업가가, 온라인 교육업계에 투신한 건, 참 흥미로운 지점이다. 대치동 일타강사가 되거나, 학원을 차려 부자가 될 수도 있었을 테니 말이다. 이젠, 그리로 되돌아갈 길은 없다. 어쩌면, 대입을 목표로 하는 고3 학생만을 고객으로 한정 짓지 않을 수 있다는 점에서 훨씬 큰 기회일 수도 있다. 배움에 대한 수요는 세대와 국경을 뛰어넘는다.

화상강의를 통해 확률통계 문제 풀어주던 수학 강사가, 이젠 확률 통계적으로 거의 답 없는 문제 앞에서 고군분투 중이다. 그러나, 그의 지성과 감성이라면, 충분히 기대할 만하다. 자신감 있는 말투와 눈빛을 보니, 그는 이 문제의 풀이 과정을 알고 있는 듯하다. 또한, 그의 진면목(眞面目)을 알아본 투자자도, 거래처의 수도 늘고 있으니, 마음이 놓인다. 또 하나의 유니콘 기업이 생겨나길 기대해 본다.

5. 돌우물은 고이지 않는다

구르지 않는 돌에는 이끼가 끼고, 고인 물은 썩기 마련이다. 한 자리에서 오래 머물러 활력이 없어지면, 물도, 사람도, 기업도, 결국 쇠퇴한다. 샘물은 자연적으로 만들어진 것인데 반해, 돌우물은 인공적으로 만든 것이다. 샘물이 없는 마을에서는 우물을 파서 식수로 써야 한다. 무릇, 우물 맛이 좋아야 마을의 인심이 좋은 법이다.

행여라도 지하수가 솟아나면, 사람들은 돌우물을 퍼내려고 두레박을 던져 끌어올렸고, 도르래를 달아 올리기도 했다. 우물 속의 물이 정체되지 않고, 항상 움직일 수 있었던 이유다. 대보름 일주일 전에는 우물물을 모두 퍼내어 우물 청소도 하고, 새로운 물을 고이게 하는 정제도 지냈다. 옛날에도 집단지성은 존재했다.

예로부터 한 마을의 건강과 풍요를 책임지던 돌우물은, 지금도 샘솟아 움직이는 중이다. 억지로 물의 흐름을 막을 수는 없다. 고이지 않는 물, 계속 길러지고 날라지는 물, 바로 돌우물의 숙명이다. 올해로 4년 차인 주식회사 돌우물도 고인 물이 되지 않기 위해 고군분투 중이다. 더 이상 대표이사 1인의 개인기에 의존하지 않는다. 어느새 공채 기수들의 브레인스토밍, 난상토론, 실전경험이 한 데 합쳐져 집단지성이 발휘되는 기업으로 거듭나고 있다. 구성원 모두에게 생존 DNA가 탑재되었다 해도 과언은 아니다.

프랜차이즈 시장은 연간 매출 총액이 120조 원을 넘어서는 빅 마켓(Big Market)으로 성장했다. 2022년 기준 가맹본부 수는 2,800개 이상, 브랜드 수로는 4,400개가 넘는다. 시장 규모에 걸맞게, 프랜차이즈 브랜드 수는 우후죽순으로 늘어나고 있고, 경쟁은 치열하다. 가맹본부들의 3년 내 생존율은 약 50%, 7년 내 생존율은 25%에 불과하다.

따라서, 본사의 운영 능력과 신뢰의 중요성은 두말할 나위가 없다. 특히, 가맹점에 대한 본사의 갑질, 원가 떠넘기기 등 피해 사례로 인해 프랜차이즈업 자체에 대한 이미지마저 부정적이다. 대기업이 아닌 이상, 본사의 평판 관리에 문제가 생기면, 이는 곧바로 기업의 생존 위기로 이어진다. 프랜차이즈업은 노동집약적 특성이 있다. 그런데, 노동인구가 급감세이고, MZ세대는 노동을 기피하는 성향까지 있다고 하니, 함부로 뛰어들었다가는 망하기 십상이다. 송사나 각종 사건에 연루될 가능성도 크다.

돌우물도 지난 3년 사이 많은 부침(浮沈)을 겪었다. 법인설립 초기, 코로나 팬데믹으로 배달시장이 급격하게 성장했다. 떡볶이, 국밥, 짜글이를 비롯한, 간편 조리 음식 전문 배달 프랜차이즈로 사업을 시작한 돌우물에 뜻하지 않은 행운이 찾아온 적이 있었다. 독특한 캐릭터와 함께 탄생한 소크라테스 떡볶이는 때마침 나훈아의 테스형 인기까지 등에 업고, 불과 수개월 만에 100호

가맹점을 내는 쾌거를 이뤘다.

그러나, 팬데믹은 영원하지 않다. 남의 불행이 나의 기쁨인 시간이 오래 지속될 수는 없는 법이다. 역병이 잠잠해지자, 배달시장에도 조금씩 거품이 걷히고, 떡볶이로 대표되던 배달 전문 프랜차이즈 회사들의 사세도 줄어들었다. 매출이 반토막 난 기업, 아니, 이미 폐업에 이른 기업도 부지기수다. 세상이 변하면, 산업 패러다임도 변하기 마련이다. 변화의 타이밍을 잘 읽고, 한발 먼저 준비하는 기업에는 새로운 성장 기회가 열린다.

어느덧 소비자들은 온라인과 콘텐츠를 통해 음식을 먼저 체험한 후, 오프라인 소비에 나선다. SNS와 모바일 환경에 적응한 프랜차이즈 기업이 살아남을 가능성이 커졌다. 이에 더해, 새로운 아이템(메뉴)과 특유의 브랜드 캐릭터, 이야깃거리를 만들 수 있는 기업이라면, 금상첨화(錦上添花)다. 또한, 프랜차이즈 전문기업은 진입장벽이 낮다. 외주 생산(OEM)과 3자 물류(3PL)를 적극 활용할 수 있기 때문이다. 그런데, 이걸 뒤집어 보면, 기업의 중요한 의사 결정권이 기업 외부에 의해 좌우된다는 얘기가 된다. 생산 공장이 제품 생산원가를 올리거나, 운송회사가 물류비를 올려버리면, 그 피해는 고스란히 본사, 가맹점, 그리고 소비자들에게 전가된다.

임 대표는 새로운 가치사슬(Value-Chain, 기업활동에서 부가가치가 생성되는 과정)을 만들어 내고, 이를 빠르게 내재화하는데 두려움이 없었다. 역시, 기업가정신이 투철한 청년 CEO 답다. 혁신하는 기업만이 지속적 경쟁우위를 창출할 수 있음은 자명하다. 그는 고심 끝에 과감한 투자를 결정했다. 육가공, 소스 제조를 주력으로 하는 식품공장을 직접 운영하기로 한 것이다. 물먹는 하마, 또는 밑 빠진 독에 물 붓기 같은 표현이 어울릴 만큼, 공장에는 생각보다 많은 자금이 들어간다. 그간의 영업수익금은 물론이거니와, 기업대출금, 대표의 개인 자금까지도 투입된다. 월 매출액이 월 고정비용을 넘어설 때까지, 이른바 규모의 경제를 달성할 때까지, 피가 마르는 시간은 계속된다.

다행히, 얼마 전부터 돌우물 공장이 손익분기점을 넘어섰다는 소식이다. 가맹점 납품만으로는 절대 달성할 수 없는 결과다. 문전박대를 당해도 또 찾아가고, 대기업에도 과감하게 발주를 넣었다. 부정적 피드백이 오면, 오히려 품질을 향상할 기회로 삼았다. 그렇게 1년여 시간을 버텼다. 돌우물의 미래가치를 알아본 정책금융기관의 지원도 가뭄의 단비였다. 계속 문을 두드린 결과였다. 임 대표는 첫 주력 브랜드의 위기를 겪은 후에야 회사를 탈바꿈시킬 수 있었다. 위기(危機)를 기회(機會)로 읽은 것이다. 물론, 그냥 되는 일은 없다. 그는 지금도 치열한 고민과 시행착오를 거듭하는 중이다.

죽음의 계곡(Death Valley)을 넘어선 회사는 자사 브랜드의 제품 매출과 무관하게 생존할 수 있는 기업으로 거듭난다. 돌우물은 가맹점 이외의 기업에 대한 제조 매출 비중이 70% 수준까지 올라섰다. 인테리어팀의 외부 수주액도 크게 늘어, 이제는 대기업과도 업무협업이 가능하게 됐다. 마케팅팀은 다른 신생기업의 브랜드를 기획할 만큼 흡수 역량이 높아졌다.

돌우물은 명색이 디지털 마케팅 기반 기업으로 거듭나는 중이다. 프랜차이즈 기업이라기보단, 디자인 전문기업, 지식재산(IP) 기업이라는 표현이 더 어울릴지도 모른다. 누구나 좋아할 만한 브랜드 캐릭터를 이미지화하고, 웹툰 연재로 캐릭터를 성장시켜 나가고 있으니, 그들의 세계관마저 궁금해진다.

무엇보다, 돌우물의 행보가 계속 나의 예상을 벗어난다는 점이 흥미롭다. 특히, 커피 브랜드 <와드(WAD) 커피>, <퐁치 익스프레스>의 상승세가 예사롭지 않다. 저가 커피 시장은 몇 안 되는 소수의 지배 브랜드가 장악하고 있어 신생 브랜드가 비집고 들어갈 틈이 없다고 생각했기 때문이다. 커피를 선택하는 기준이 원두(맛), 가격 이외에 캐릭터(IP)가 될 수도 있겠구나 싶다. 그의 목표는 2,000호 매장이다. 그가 프랜차이즈 업계에 새로운 이정표를 세우는 기업인이 되기를 바란다. 재미있고 유쾌한 브랜드 캐릭터를 계속 만들어 내고, 가맹점과 함께 성장하는 CEO, K-FOOD 브랜드를 수출하는 디자이너로 성장하면 더할 나위 없겠다.

6. 창업가는 고정관념을 깬다

90년대 초반생인 강 대표는 MZ세대다. 그는 MCN 사업가다. MCN은 Multi Channel Network의 약자로, 우리말로 해석하면, 다중 채널 네트워크다. 풀어써도, 여전히 보충 설명이 필요하다. 유튜버나 인플루언서, 셀럽들의 기획사 정도로 보면 될 것 같다. 유튜버 혼자서는 광고 섭외, 상품(굿즈) 기획/판매, 저작권 관리 등을 다 하기 어렵기 때문에, 이들을 관리하는 회사들이 여럿 생겨났다. 시대가 낳은 새로운 산업군이라 할 수 있다.

특이한 건, 그가 동년배 2인을 공동 사업 파트너로 두고 있다는 점이다. 동업은 뜯어말리는 게 상책이라 했는데, 그런 이야기를 입 밖에 꺼냈다간, 꼰대 소리 듣기 쉽다. 살펴보니, 이 회사의 주주는 강 대표가 아니다. 다른 법인이 지분 100%를 보유 중이다. 회사 업무도 이해하기 어렵고, 동업자도 여럿인 데다 실제 소유자가 누구인지도 불분명하니, 나 같은 X세대 외부인은 아무래도 혼란스럽다.

실로 오랜만에 목격한 **창업자와 주주의 불일치**다. 여기가 대기업도 아니고, 유명인이 소속된 연예기획사도 아닌데, 지분이 복잡하게 얽혀있는 걸 보니, 숨은 경영실권자가 있으리라는 의심이 생겼다. 과거의 경험에 따른 직관적 판단, 아니, 확신이었다. 그러나, 나의 이런 판단이 선입견이었음을 깨닫기까지는 그리 오랜 시간이 걸리지 않았다.

이야기는 이렇다. 강 대표와 그의 동업자 2인은 모두 대학생 창업동아리 출신이었다. 취업보다는 창업을 염두에 둔 그들은 창업동아리 활동에 누구보다 열심이었다. 여러모로 뜻이 맞았던 3인방은 그렇게 의기투합했다. 5년 전, 그들은 1/3씩 공동출자를 하고, 납입자본금 5천만 원의 법인을 설립했다. 미래 성장성이 높다는 판단하에, MCN 회사를 설립하고, 각자 자신 있는 업무를 맡기로 했다. 강 대표는 영상 콘텐츠 제작에 특화했다. 다른 창업자들은 각각 셀럽과 유튜버 섭외(계약), 온라인 판매에 적합한 상품확보, 외부 투자자 모집(IR) 등 자신 있는 분야를 맡아 집중했다.

까탈스러운 셀럽(유명인)들의 계약 조건, 요구 사항들을 들어주는 건, 사실 도박에 가깝다. 선급금을 지급해야 하고, 광고 대행 상품이 생각만큼 팔리지 않으면, 오롯이 손실이 되기 때문이다. 소위, 젊은 소비자들에게 어필하는 유튜브 영상 콘텐츠를 제작하고, V-log, 인스타그램 등 SNS 채널 홍보를 하려면, 제작비/광고비 집행에 과감해야 한다. **하나둘 계획을 실행하다 보면, 자본금은 마파람에 게 눈 감추듯, 빠르게 소진된다.**

다행히, 그들의 분업 전략은 성공적이었다. 우선, 그들은 저예산, 단편 청소년 웹드라마 영상을 제작하고, 유튜브 채널을 개설했다. 무명의 젊은 배우들이 기꺼이 동참했다. 청소년들의 일상과 꿈, 사랑, 우정, 고민을 담은 단막극은 또래의 공감을 사기에 충분했다. 구독자 수는 빠른 속도로 늘어났고, 기업들의 PPL 요청도 증가했다. MCN 사업이 잘되니, 연속적으로 전자상거래 소매업(패션/뷰티 상품 온라인 판매)도 매출이 성장했다.

20대의 청년들은 사업 실패의 두려움, 부담감을 낮추기 위해 공동창업이라는 방법을 선택한 것이다. 정답이라 할 순 없어도, 그들에겐 최선이었다. 청년 창업가의 열정은 넘치지만, 주머니 사정은 넉넉지 않고, 한 사람이 모든 분야에 능할 수는 없기 때문이다. 이들 3인 청년 창업가의 기업가정신에는 혁신성, 진취성, 위험감수성 3가지 핵심 요소 외에도, (경제적) 책임감 분담 그리고 상호신뢰성이라는 나름의 안전장치까지 포함되어 있었던 셈이다.

막대한 영상 콘텐츠 제작비용은 광고 대행 수수료만으로 충당하기 어렵다. 다행스럽고도 대단한 건, 적절한 시점에 투자자가 나타났다는 점이다. 모 화장품 제조 대기업이 전략적 투자자로, 모 벤처투자법인이 재무적 투자자로 참여했다. 20대 창업가 3인은, 법인설립 3년 만에, 안정적 사업 기반을 갖춘, 어엿한 경영인이 되었다.

한 회사가 총자산이나 매출액 면에서 어느 정도의 규모에 다다르면, 더 이상 3인 공동 대표이사 체제로 운영되기는 어렵다. 처음이야, 셋이 밤낮없이 머리를 맞대고 토론하고, 의견의 합치를 보는 데 어려움이 없었을 것이다. 최고경영자 겸 직원으로 근무하니, 밤샘 근무를 해도 누구 하나 야근수당을 요구할 리도 없다. 그러나, 회사가 커지면, 초심을 유지하려 해도, 시스템이 이를 거부할 확률이 높다. 그리고, 세 명의 사람이 늘 같은 의견을 내는 것도, 사실상 불가능하다. 같은 동아리 출신 청년 3인방의 우정은 영원할 수 있지만, 각자 대표이사 3인의 갈 길은 모두 제각각일 수밖에 없다. 각자의 인생이기 때문이다.

시간이 흘러, 그들이 공동으로 설립한 법인은, 지주회사로 변모했다. 묘수(妙手)였다. 광고 대행사, 연예 에이전시로 시작된 모기업은, 이제, 여러 자회사에 대한 경영자문업(컨설팅)과 투자 후속 관리를 전담으로 하는, 모기업으로 안착했다. 그리고, 공동 설립자 3인은 별도의 자회사 CEO로 자리를 옮기는, 아름다운 이별을 선택했다. 물론, 서류상 이별일 뿐, 실제로는, 여전히 한 지붕 아래에 터 잡고 있다.

지주회사는 3개의 법인을 새로이 낳았다. 강 대표가 대표이사로 취임한 회사도 그중 하나다. 나머지 2명도 각각 다른 회사의 대표이사로 취임했다. 강 대표는 모기업의 요체라 할 수 있는 유튜브 제작과 광고대행업을 이어가기로 했다. 한편으로는, 하던 일을 계속하는 것이니 운영 리스크가 낮은 것이라고 볼 수 있지만, 다른 한편으로는, 꾸준한 성장을 이끌어 다른 자회사들의 안전망, 최후의 보루 역할을 다해야 한다는 측면에서 부담감도 커졌다.

서울대 출신의 윤 대표는 신규 설립한 자회사 운영 외에도, 모기업의 CEO를 병행하기로 했다. 패션, 화장품, 가전제품 분야에 관심이 많던 최 대표는 전자상거래 소매업체의 최고경영자가 되었다. 그밖에, 모기업의 창업 멤버였던 직원들도, 연관 분야(화장품, 가공식품, 건강식품) 계열사의 CEO가 되었다. 현재 자회사 수는 총 10개에 이른다.

사업 아이템별로 분사(스핀-오프)를 하는 게 정답인지는 잘 모르겠다. 고리타분한 생각일 수도 있지만, 굳이, 이렇게까지 수직 계열화할 필요가 있나 하는 생각이 드는 것도 사실이다. 먼 훗날 시간이 흘러, 많은 분석이 나올 수 있겠으나, 그 역시 결과에 대한 사후적 해석에 불과할 것이다. 완벽한 조직, 기업, 시스템이란 없다. 강 대표 역시, 모회사에 여러 사업 부서를 두는 게 좋은지, 지금처럼 여러 자회사를 두고, 경영의 독립성을 강화하는 게 더 나은지에 대한 해석을 유보했다. 어떤 선택을 하든, 후회하지 말고, 그저 최선을 다하면 될 일이다.

공동창업자 3인은, 매월 1회 정례적으로 기업 운영 현황을 공유하고, 자회사 간 시너지를 고민한다. 월간 보고서를 작성해 투자자들에게도 보고한다. 다행인 것은, 투자사들이 동종업계 대기업과 재무구조가 안정적인 투자 전문회사라는 점이다. 그들은, 회사의 성장에 도움이 될만한 유용한 정보도 제공하고, 영업 네트워크를 확대하는 데도 도움을 준다. 당장, 배당금을 내놓으라고 종용하지도, 다른 기업에 지분을 넘기려고(Exit) 서두르지도 않는다. 아직은, 쉽게 찾아보기 힘든 장기적 투자자, 천사(Angel) 투자자로 보아도 무방하다. 이런 투자자를 만났다는 건, 그들의 복이다.

하지만, 위태로운 점이 없는 건 아니다. 강 대표가 몇 년 전 야심 차게 설립한 법인이 계속 적자를 면치 못하고 있다. 화장품 도소매업의 경쟁이 워낙 치열하기 때문이다. 감원을 통해 판매관리비를 줄이고, 신규 아이템을 출시해 매출액도 조금씩 오르고 있긴 하지만, 모기업의 출자금, 장기대여금을 생각하면, 부담감이 크다. 그나마, 주력인 MCN 회사가 안정적인 성장세를 보인다는 점이 다행스럽다. 다른 사업을 병행하는 게, 좋은 건지 그렇지 않은 건지, 아직은 잘 모를 일이다.

윤 대표, 최 대표가 개별적으로 운영하는 법인들도 사정이 비슷하다. 그들도 모두 2개의 법인을 운영 중인데, 공교롭게도 그 중 하나는 잘 되고, 하나는 잘 안된다. 이들도, 사업의 흥망성쇠가 경영자 때문인지, 사업 아이템 때문인지, 직원 때문인지, 잘 모르겠다고 한다. 분명, 사업에는 사람의 통제 밖 영역이 실존한다. 세 명의 공동창업자가 모두 같은 지분을 보유하고 있다는 점도 왠지 신경 쓰이는 대목이다. 현 지배구조하에서는, 어느 1인의 독단적 의사결정이 불가능하다는 장점이 있지만, 만약, 한 명의 주주가 다른 마음을 먹고, 외부 투자자들과 합심한다면, 두 명의 공동창업자를 배신할 가능성도 있기 때문이다.

물론, 이 회사를 재벌 드라마나 조폭 영화 속, 흔한 소재로 등장하는 경영권 분쟁, 암투에 빗대 비교하는 건, 온전히 내 상상이다. 창업 동기, 관계, 지배구조, 협업 등을 살펴보건대, 앞으로도, 그들은 적절한 견제와 균형, 공동 의사결정 체제를 유지하며,

시너지를 발휘할 가능성이 크다. 문제는, 자회사 간 경영성과의 차이가 크게 날 경우다. 그들은 공동 의사결정권자로서, 자회사에 대한 추가지원 여부를 두고, 서로 다른 의견을 낼 수 있다. 현시점에도, 자회사 중 절반은 자본잠식 상태다.

나는 기업 외부인의 위치에서, 적자 기업에 대한 추가적 지원을 하지 말 것을 요청했다. 물론, 모기업의 자금 사정에 여유가 있고, 주력 자회사들의 유동성도 충분한 편이지만, 앞으로의 일은 알 수 없기 때문이다. 밑 빠진 독에 물 붓기는, 3인 간 오랜 상호신뢰를 훼손할 우려가 크다. 돈 앞에는 우정도 사랑도 없다.

오랜 우정과 인연으로 짜리를 튼, 20대들의 의기투합이, 전형적인 전래동화 이야기처럼, 해피 엔딩으로 막을 내릴지는 미지수다. 그들은 어느덧, 30대가 되었고, 휘하에 수십 명의 직원을 두고 있다. 투자자, 지역사회 등 다수의 이해 관계자들로부터 다양한 책무를 요구받는다. 강소기업의 CEO는 사실상 이 사회의 공인이기 때문이다. 게다가, 그들은 곧, 각자 자신의 가정도 꾸릴 예정이다. 냉정과 열정 사이, 차가운 머리와 뜨거운 가슴 사이, 그들의 순수한 우정은 시험대에 올랐다. 실험적이고, 다소 위태로워 보이는 3두 체제의 경영권이, MZ 대에 이르자, 무난히 안착한 사례로 기록되면 좋겠다. 이들을 필두로, 삼인동업(三人同業)이 성공의 대명사를 뜻하는 신조어로 자리매김한다면 더할 나위 없겠다.

<본문 2> 4050 중년 기업가 스토리

7. 퇴사에도 정석은 있다

바야흐로 대 퇴사의 시대다. 여기저기 당당히 퇴사를 외치는 목소리들이 들려온다. 물론, 어느 시절이건, 퇴사하는 사람들은 늘 있었다. 절이 싫으면 중이 떠나는 법이다. 달라진 거라면, 지금은 자신의 퇴사를 홍보할 수단이 제법 다양해지고, 투자 성공으로 경제적 자유를 획득한 파이어족이나, 퇴직 이후 창업가로서의 길을 선택하는 이들을 부러워하는 사람들이 늘어났다는 점이다.

정답은 없다. 어느 직장이든, 입사 후 30년을 다니다가 정년퇴직한다고, 그가 도전정신이 없다거나, 수동적인 삶을 산다고 폄훼하면 안 될 일이다. 강산이 3번이나 변하는 동안, 자리만 축내는데 월급 다 챙겨주는, 그런 곳은 없다, 모름지기 책임감 있는 가장이라면, 한 가족의 든든한 버팀목이자, 한 사회의 선량한 구성원으로서 역할을 다하는 것만으로도, 그의 책임을 다하는 것일 수 있다. 지금의 시스템을 유지하기 위한 노력, 그게 바로 보수의 품격이다.

모두가 창업가, 크리에이터가 될 필요는 없다. 문제는 퇴직 이후의 삶이다. 기대수명 100세 시대, 건강관리에 신경 쓰는 추세를 고려하면, 어쩌면 그동안 살아온 만큼 퇴직 이후의 삶을 살아야 할 수도 있다. 평범한 직장인의 고민은 여기에서 시작된다.

국민연금 고갈 소식은 들려오고, 저성장 저출산 고실업 인플레이션 같은 부정적인 뉴스들은 끊이질 않는다.

열심히 공부해 대학에 들어가고, 졸업 후 대기업에 취업해 결혼하고, 아이 둘 낳고, 월급 잘 모아서 서울에 자가 부동산까지 마련한, 30년 차 대기업 직장인 김 부장마저도, 자칭 재테크 전문가의 눈에는, 하나만 알고 둘은 모르는 미련한 중년남으로 묘사되는 세상이기도 하다. 비트코인(B), 테슬라(T), 서울부동산(S)으로 대표되는 코인, 주식, 부동산에 자기 월급과 종잣돈을 제대로 투자하지 않으면, 세상에 뒤처진 사람, 미래를 대비하지 않는 사람으로 평가받는다.

그러나, 누구의 삶도 그리 간단하거나, 만만치 않다. 삶은 예상치 못한 일들의 연속이기 때문이다. 갑자기 본인이나 가족 중 누가 아파 엄청난 병원비를 감당해야 하기도, 가까운 친지나 친구의 부탁을 거절하지 못해 목돈을 날리기도, 집주인 잘못 만나 전세 사기를 당하기도, 은행과 증권사를 믿고 가입한 펀드나 회사채가 부도나는 일도 생긴다. 딴 데 한눈팔지 않고, 월급으로 삼성전자 주식만 잘 모아도, 부자가 될 수 있다는, 주식 전문가, 경제 유튜버들의 가르침에, 일견 그런가 보다 하다가도, 괜한 한숨이 나온다.

월급을 한데 모아 꾸준히 주식을 매입할 형편이 못 되는 사람도 많을뿐더러, 행여 자기가 산 가격보다 몇십% 오르면, 그걸 팔지 않고 계속 보유할 신념의 가치 투자자는 애당초 평범한 직장인이 아닐 것이기 때문이다. 워런 버핏이 괜히 오마하의 현인(賢人) 소리를 듣는 게 아니다. 실상은, 항상 오를 줄만 알았던 대한민국 최고회사의 주식이라도 일일이 설명하기 힘든 다양한 이유로 등락을 거듭하기 마련이다. 행여 내가 산 가격보다 내리기라도 하면, 심장이 떨려오고, 본전 생각이 나서 어떻게든 매도할 때만 기다리는 게, 평범한 우리네 모습이다.

장기적 우상향. 말은 그럴싸한데, 실제, 10년 전 최고의 기업이 지금도 여전히 그러한지는, 지금 당장 구글 네이버 검색만 해봐도 알 수 있다. 10년은커녕 한 치 앞도 내다보기 힘든 세상이다. 주식과 코인, 부동산의 가치는 일개 개인이 통제할 수 있는 영역이 아니다. 투자 올-인(All-in)은 금물이다.

막연한 성공이나 대박을 꿈꾸지 말고, 리얼리스트가 되어야 한다. 지위와 권세는 유한하고, 퇴직과 정년은 분명히 다가오기 때문이다. BTS가 제아무리 등락을 거듭한다 해도, 꾸준한 소득이 창출되고, 온전히 몰입할 수 있는 내 일이 있다면, 쉽사리 무너지지 않고, 발 디뎌 살아갈 수 있기 때문이다.

그런 의미에서 박 대표는 좋은 본보기다. 그는 얼마 전까지 모 중견기업의 책임자로 20년 이상 근무했다. 아직 정년까지는 10년 이상 남았다. 이름만 대면 알만한 기업의 책임자이자, 아이 둘의 아빠이기도 하다. 서울 외곽지역에 아파트도 한 채 마련했다. 물론, 주택담보대출금은 아직 많이 남아 있다. 주식이나 코인으로는 별 재미를 못 본 듯하니, 어쩌면, 그가 '대기업 김 부장님' 사례의 전형일 수도 있다.

그러나, 박 대표가 남다른 점이 있었으니, 그는 일찌감치 독립, 즉, 창업을 준비했다는 점이다. 주특기 없는 문과 출신에 영업직이다 보니, 아무래도 기술직, 연구인력들보다 회사 내 입지가 불안했기 때문이다. 불안감은 늦은 승진과 잦은 부서 이동, 그리고 최근 들어 부쩍 늘어난 퇴사 종용 분위기로 감지된다. 그렇다면, 회사에서 먼저 말을 꺼내기 전에 자기가 먼저 회사에 이별을 통보하는 게 여러모로 깔끔하다는 생각이었다.

그는 5년 전 아내 이름으로 개인기업을 창업했다. 본사 주소는 아는 지인이 운영하는 공유 오피스텔 한 칸이었다. 보증금은 없고, 매월 관리비도 몇만 원에 불과했다. 그마저도, 지인과 공동으로 빌렸으니, 창업에 든 돈은 사실상 거의 없다고 보아도 무방하다. 법인을 설립한 게 아니니, 납입 자본금을 마련할 필요도, 남에게 이사나 감사 자리를 요청할 일도 없다. 시작이 요란스러울 필요는 없다. 겉이 아니라, 실속이 중요하다.

다행히, 그의 아내는 남편의 속내를 잘 헤아리는 인생의 파트너였다. 창업은 결혼과 출산, 육아로 말미암은 경단녀(경력 단절 여성)의 설움을 날리는 좋은 기회이기도 하니, 그녀가 창업 제안을 거절할 이유는 없었다. 그들은 냉동/냉방기기, 공기조화기 유통과 설치공사업을 전문으로 하는 사업을 시작했다. 박 대표가 근무한 곳이 냉난방기 제조업체였기 때문이다. 그가 직접 제품을 개발하거나, 생산한 것은 아니지만, 20년 회삿밥이니, 제품 개발, 연구, 생산, 판매, 유지보수에 이르기까지, 웬만한 과정은 다 꿰고 있었다.

더구나, 그는 몇 년 전부터 차분히 독립을 준비해 왔으니, 어느 순간부터는 모든 프로세스를 더 유심히 관찰했을 것이다. 책임자가 됐다고, 책상 앞에만 앉아 부하직원들 트집 잡거나, 거들먹거리면서 시간을 보낼 수는 없었다. 거래처 사장님들과 자주 만나 산업계 현황 관련 공부도 하고, 틈새시장도 찾아 나섰다. 대규모 공사 현장에 투입된 현장 인력들과 소주, 막걸리 한잔 나누며 안면도 텄다.

제조, 건설 분야 사업은 사람이 만나고, 부대껴야 거래가 성사된다. 그렇다고, 엄연히 회사의 녹을 먹는 직장인이, 열 일 제쳐두고 퇴사 후 자기 먹고살 일거리 확보하겠다고, 자기 홍보만 하고 다닐 수는 없는 일이다. 소문은 빠르고, 사방은 온통 적이기 때문이다. 사업자를 내놓고도, 2년은 매출 실적 0원인 무늬만 회사였다. 유형의 매출액은 제로였지만, 눈에 보이지 않는 무형자산, 그리고 사업 기반은 조금씩 갖추어져 가고 있었다. 2년은 준비의 시간이었다. 그의 아내도 점점 이 분야의 전문가로 거듭났다. 처음엔, 여자가 무슨 냉난방 공사업체 대표냐며 괄시도 받고, 남편과 술자리에 다니는 것도 고역이었다. 하지만, 어느새, 어느 회사의 보일러가, 에어컨이 가격과 품질 면에서 경쟁력이 있는지 알게 됐다. 건축물의 용도와 크기에 따른 맞춤형 제품이 존재한다는 것도, 냉방기 설치공사를 위해서는 외부 용역업체와 신뢰 관계를 유지해야 한다는 것도 배웠다.

부부는 나라장터에 올라오는 관급공사 공개입찰에 참여하는 것으로 첫 공사를 수주했다. 당당한 시작이었지만, 공사원가를 너무 낮게 계산한 탓에, 실제로는 남는 게 없는 장사였다. 아니, 실제로는 자기 인건비 계산하면, 손해였다. 남들보다 낮은 가격을 써내야 낙찰되는 구조다 보니, 돈은 안되더라도, 일단 경험이 중요하다는 판단에서 내린 결정이었다. 업계 베테랑들은 공사원가율도 제대로 계산하지 못하는 초보라며 콧방귀를 뀌었지만, 부부는 아랑곳하지 않았다. 길게 보고 시작한 일이기 때문이다.

시간이 지날수록 여기저기서 납품 의뢰가 들어왔다. 조금 손해를 보더라도, 성실하게 공사를 수주해 마무리한 성과들이 쌓였기 때문이다. 넓은 인맥과 정보도 한몫했다. 냉난방기가 설치되지 않는 건물 신축 현장은 없다. 일반 가정, 기업, 공공기관에서도 공조기, 에어컨 교체수요는 늘 존재한다. 세상은 넓고, 할 일은 많았다. 남편이 영업 전문가, 아내가 구매 및 경영관리 전문가다 보니, 상시종업원은 베테랑 경력자 1명이면 충분했다. 외주인력 인건비, 직원 월급, 원재료 구매대금을 지급하고 나서, 남는 게 있으면 부부의 상여금이라고 생각했다. 어떤 때는 납품처로부터 판매대금 회수가 늦어지거나, 심지어 야반도주로 돈을 못 받은 일도 있었기에 보너스는커녕 적자 보는 달도 부지기수였다. 그래도, 아직 회사원이었던 박 대표의 고정 수입이 있고, 조금씩 적립해 둔 수익금도 있었기에 5년을 버틸 수 있었다.

큰돈은 벌지 못했어도, 5년 동안 회사가 살아남았다는 것만으로도 엄청난 성취다. 현실적으로 창업 후 3년 내 폐업률이 70%를 넘기 때문이다. 그동안 경험과 실적이 쌓이고, 기업가의 윤리성, 성실성, 책임감도 대내외적으로 인정받았으니, 이는 돈 몇 푼으로 쉽게 환가(換價)될 수 없는 회사의 자산이기도 하다. 다행히 지난 3년간 회사 매출액도 10억, 20억, 30억 수준으로 계속 성장해서 이제 어느 정도 사업 기반도 갖추어진 셈이다.

그러는 사이, 박 대표는 퇴직을 준비했다. 아무리 알려진 회사라 해도, 초대기업이 아닌 이상, 업황이나 경기 흐름에 따라 회사 매출과 이익은 등락을 거듭하기 마련이다. 외부적으로 잘 알려지진 않아도, 웬만한 직장인은 늘 구조조정에 대한 불안감을 안고 산다. 그도 예외는 아니다. 회사의 핵심 인재가 아닌 이상, 아니 제아무리 개국공신이라 하더라도, 아래로부터의 개혁 요구는 상존한다. 안 그래도, 그는 영업직이라는 직무의 한계, 영업실적 달성에 대한 스트레스, 몇 안 되는 승진 자리를 향한 치열한 내부경쟁을 다 이겨낼 자신이 없었다. 진작부터 떠날 준비를 하고 있었기에, 오히려 몇 해 전부터는 주변 모두에게 좋은 동료로 인정받는 중이었다. 지나친 경쟁은 선량한 인간의 눈과 귀를 막는 요소임이 분명하다.

박 대표는 더 이상 회사에 거짓말하거나, 죄를 짓는 심정으로 지내지 않기로 결심했다. 그리하여 1년 전, 회사 임원진에게 퇴사 의지를 밝히고, 법인을 설립했다. 창업한 회사의 규모가 커짐에 따라, 세금도 아끼고, 체계적이고 건실한 기업가로 거듭나기 위해서다. 아내 뒤에 숨은 조력자, 실제 경영자로서의 야누스적 삶은 이제 안녕이었다. 그러나, 이게 웬일, 바로 처리될 줄 알았던 사표는 1년간 수리되지 않았다. 배우자의 사업체가 본사에 직접적으로 피해가 되지 않는 이상, 본연의 업무에 지장을 주지 않는 이상, 조금 더 회사를 위해 일해 달라는 요청이었다. 아직 그를 대체할 만한 실력 있는 책임자가 눈에 띄지 않는다는 것이 퇴사 만류의 이유였다.

자기 인생을 살고자, 남 비난하지 않고, 승진에 대한 마음도 접고, 업무에만 집중했더니, 직장생활에도 전화위복(轉禍爲福)이 된 셈이다. 담당 임원마저 그의 사업에 관심을 표명하며, 본인의 퇴사 후를 상담 요청하는 상황이다. 존경하던 상급자가 자기를 채용해 주면, 신규 거래처 몇 군데는 따 놓은 당상이라며, 반 농반 진의 취업 청탁까지 하는 아이러니한 일까지 생겼다. 그렇다고, 계속 이중생활을 할 순 없는 일이다. 자칫하다간, 시작과 마무리 둘 다 잘못될 수 있다. 양다리는 금물이다. 남 잘되는 꼴은 못 보는 게 우리네 범인들의 심보 아니겠는가. 그는 미련 없이 회사를 나왔다.

개인기업의 자산과 부채를 포괄적으로 양수도 받아 법인을 설립했다. 어찌 보면, 새로운 시작이지만, 실제로 달라진 건 없었다. 사무실 본사도 그대로요, 법인의 대표이사도 여전히 그의 아내다. 다만, 박 대표도 이젠 뒤에 숨지 않고, 등기이사로 등재되어 바깥 업무를 도맡고 있다. 이중생활은 멈추고, 내 사업에 집중할 수 있으니, 누굴 만나도 떳떳하고, 자신감이 넘친다. 나중을 위해 주식 지분은 자녀들에게도 배정했다. 자기 주식 발행하고, 증여하기. 원래 재테크는 이게 최선이다. 잘 모르는 회사 주가가 오르기만을 기도하거나, 대리인에게 경영권을 맡기지 않고, 본인 역량으로 기업 가치를 높여 자연스럽게 부가 따라오게 만드는 것이 최선이다. 성공도 실패도 오롯이 본인에게 달려 있다.

이제 주사위는 던져졌다. 증명만이 남았다. 감히 단언컨대, 액면가 5천 원짜리 주식의 상승 가능성은 높다. 동종업계 근무 경력 20년에, 경영자로서의 경력 5년, 부부 합계 10년이니, 축적의 시간으로 충분하다. 작년 이월공사, 올해 수주공사, 신규 견적 건을 합치니 50억 원도 넘는다. 법인설립 첫해 매출액치고는, 누가 봐도 선방이다. 게다가, 이들은 성공의 필요충분조건, 부부 공동창업 아니던가. 여러모로, 박 대표는 퇴사의 정석이다.

8. 성공은 무모한 선택들의 결과다

2000년대 초반, 나름대로는 졸업 준비, 취업 준비한다고, 학교 중앙도서관을 들락거린 날들이 있었다. 대학교 1~2학년 때 많이 내려간 학점을, 복학생이 되어 만회해야 했다. 영어, 경제학, 상식 공부도 병행하며, 남들 보기에 창피하지 않을 직장에 들어가야겠다는 의지가 강했던 시절이다. 체면이 전부였던 때였다.

그 시절, 도서관 안 같은 자리를 맡아두고 왔다 갔다 하다 보니, 주변 학생들의 얼굴도 차츰 익숙해졌다. 그중엔 입학한 지 얼마 안 된, 가수 이소은도 있었다. 처음부터 그녀의 존재를 인지했던 건 아니다. 사람들의 시선이 유독 그녀에게 많이 향했고, 왜들 한 사람에게 주목하는 거지? 하다가, 나도 뒤늦게 알아본 거였다. 여느 고시생, 취업준비생들과는 달리, 영문학 서적을 펼쳐놓고, 열중하던 그녀의 모습이 생생하다. 속이 꽉 찬 느낌이었고, 편견을 깨는 행보였다. 흔히 말하는 연예인 느낌이 나기는커녕, 모범생 같았다. 우리 둘 사이엔 아무런 에피소드가 없었다. 같은 공간, 같은 시간을 공유했다는 점도, 실은 나만 아는 비밀이다.

그로부터 20년이 지났다. 특별히 무모한 혹은 과감한 선택을 하지 않았던 나는, 지금의 모습 이대로다. 우리는 모두 각자 인생의 주인공이라지만, 냉정히 말해서, 평범한 40대 중년의 가장, 회사원 수준을 벗어나지 못한 듯하다. 굳이 좋게 표현하면, 우리

사회의 건강한 구성원, 민주시민, 성실한 납세자로도 불릴 수 있겠으나, 왠지 궁색하다. 무사히 정년으로 퇴직해, 죽을 때까지 연금 받다가, 인생 마감해야 한다고 생각하니, 아찔하기까지 하다. 더 늦기 전 변화, 과감한 선택이 필요해 보인다.

얼마 전 TV 채널을 돌리다가, 우연히 유퀴즈에 출연한 이소은을 보았다. 불현듯, 20년 전 중앙도서관이 떠올랐다. 분명, 잠시나마 같은 공간을 공유했던 적이 있었는데, 이제, 우린 너무 다른 인생을 살고 있는 것 같다. 내용을 들어보니, 그녀는 가수에서 대학생, 미국 유학생을 거쳐, 마침내 (뉴욕) 변호사가 되었다. 국제단체 활동에도 적극 참여하는 등 여러 방면에서 활약 중이고, 가수로서의 꿈도 현재 진행형이라고 한다.

처음엔, 이상한 자격지심도 생겼지만, 자세히 살펴보니, 존경할 만한 삶의 여정이다. 그녀는, 중학생 시절, 자신이 만든 노래로 가요제에 참여했다가, 눈여겨보던 음악인 윤상의 추천으로 가수로 데뷔했다. 훌륭한 부모님 밑에서 잘 자란 것도 자기 복이고, 윤상/김동률/이승환 같은 당대 최고의 음악인들을 만나, 좋은 결과물(히트곡)을 다수 만들어 낸 것도, 부정할 수 없는 행운이다. 게다가, 명문대생 타이틀까지 얻었으니, 남들이 보기엔, '인생은 OOO처럼!' 의 당사자라 보아도 무방하다.

그녀는 무모한 선택을 했다. 가수 생활 10년을 뒤로하고, 미국 유학에 도전한 것이다. 흔히 예상하는 2~3년의 학위과정도 아니고, 변호사 시험이라는, 생뚱맞고 무모한 도전이다. 잘은 모르지만, 한국 가요계에서도 전무후무한 도전, 그리고, 새로운 기록 달성이 아닐까 싶다. 그녀는 무한도전의 아이콘, 유재석이 진행하는 프로그램에 출연해, 무모했던(!) 도전 이야기를 담담하게 전달했다. TV 화면에서는 그녀가 미국 뉴욕주의 변호사가 되어 열심히 일하는 모습, 국제기구에서 활약하는 모습, 재능기부와 봉사활동을 하는 모습이, 한편의 파노라마처럼 이어졌다.

널브러진 자세로 편한 소파에 누워, 두 사람이 나누는 유쾌한 담소와 영상 화면에만 집중하다 보면, 실제로 그녀가 얼마나 힘겨운 시간을 보냈을지 가늠하기 쉽지 않다. 다행히, 그녀의 시행착오 스토리도 이어졌다. 어려서부터 영어에는 자신감 있었지만, 법률용어는 전혀 다른 세상의 언어였다. 수많은 밤을 눈물로 지새우고, 이게 무슨 사서 고생이냐며 스스로 후회도 많이 했다. 혹자들은, 시기와 질투, 의심의 눈으로 그녀를 바라보기도 했다.

결국, 모든 난관을 극복하고, 원하는 결과를 내기까지 10년이 걸렸다. 긴 세월이다. 스포트라이트를 받던 가수로 보낸 첫 10년과 비슷한 시간이 걸린 셈이다. 어린 시절의 행운을 실력으로 돌려놓는 데 필요한 시간이었다. 어쩌면, 그녀의 인생은 무모한 선택의 연속일지도 모른다. 성실하고 착실했던 10대 소녀가, 자작곡을 만들어 TV 가요제에 출연한다는 것부터 남다르다. 당초에 1등을 기대했던 것 같지는 않다. 다만, 가요제에 최고 가창력의 가수, 혹은 화성학을 전공한 싱어송라이터만 참석하라는 법은 없다.

다소 부족하더라도, 일단 실천하는 게 중요하다. 하필이면, 그 프로그램을, 음악인들의 음악인이라 불리는 윤상이 보고 있을 줄 누가 알았겠는가. 천하의 윤상이, 적극적으로 먼저 연락하는 스타일인 줄은, 또 누가 알았겠는가. 결국, 선택에 선택을 거듭하던 이소은은, 자신의 노래처럼, 변호사가 되는 '기적' 도 이루고, 머나먼 이국땅에서 평생을 함께할 '서방님' 도 만났다. 가수는 노래 제목 따라간다는 말은 맞았다.

무모한 선택은 이렇게, 예기치 않은 결과를 낳는다. 과감한 도전이 열 번, 스무 번 반복되면, 확률적으로도, 무슨 일이든 반드시 생기게 되어 있다.

과감하고 무모한 선택이라면, 오늘 만난 문 대표 역시 만만치 않다. 그는, 대학에서 기계공학을 전공하고, 국내 굴지의 대기업인 기아자동차에 입사했다. 본인 말로는, 1990년대 후반, 세피아 초기모델을 거의 자기가 세팅했다 한다. 물론, 50대 아재들의 군대 무용담, 직장생활 에피소드는 걸러 들을 필요가 있다.

대기업 입사 후, 어려움 없이 승승장구하는 이야기라면, 여기에 등장할 이유는 없다. 누구나 역경을 겪는다. 아니나 다를까, 문 대표가 입사한 지 3년 만에 IMF 외환위기가 발생했고, 회사는 부도 처리되었다. 그는 선택의 기로에 섰다. 몇 달간 급여를 받지 못했지만, 젊음과 애사심을 무기로, 사표를 내지 않고 버텼다. 회사에 남고 싶었으나, 퇴직금 포기각서를 쓰라는 제안은, 차마 받아들이기 어려웠다. 열심히 일했으니, 더 이상의 미련은 없었다. 30대 초반, 뜨거운 심장을 가진 대기업 엔지니어는, 그렇게 플랜 B 없이 대기업을 퇴사했다.

세피아 자동차를 설계했다는 이유로, 그를 스카우트 해가는 곳은 없었다. 정말, 대기업 퇴사는 무모한 선택이었을까. 그도 사람인지라, 현실이 불안했고, 한 집안 가장으로서의 위신도 말이 아니었다. 그러던 중, 멀쩡한 그가 실업자로 지내는 걸 보다 못한 친척분이, 작은 규모의 사료 수입업체를 소개해 줬다. 목구멍이 포도청이라, 전공도, 적성도 고민할 겨를이 없었다. 자존심 센 자동차 엔지니어는, 어느새 동물용 사료 수입과 국내 영업을 담당하는 영업사원이 되어 있었다.

엔지니어가 천직이라고 생각했던 건 단단한 착각이었다. 알고 보니, 그는 천생 영업통이었다. 미국, 중국, 이집트 등 동서양 가릴 거 없이 출장 다니며, 밀가루 옥수수 콩 에탄올 제조공장에서 산출되는 부산물(사료 원료)을 수입했다. 즐겁게 일하다 보니, 은행에 가서 L/C(수입 신용장) 개설하는 것도, 국내외 신규 거래처 발굴하는 영업활동도 재미있었다. 예나, 지금이나, 이공계 출신들이 문과생들의 영역(재무/회계/전략/법률)까지 섭렵하게 되면, 경쟁 자체가 성립하지 않는다. 문과 출신 회사원들은, 더 늦기 전에, 코딩부터 다시 공부할 필요가 있다.

문 대표는 중소기업 입사 후 3년여 만에 독립해 법인을 설립했다. 유통업(도매업)은 특별한 기술이 필요한 업종이 아닌 관계로, 경쟁은 치열했다. 경영에 왕도도 없다. 그저, 다른 경쟁기업들보다 한발 빠른 대응으로 고객의 요구 사항을 최대한 수용하고, 이익률은 최소화하며, 10년을 버텼다. 그는 틈나는 대로, 대기업을 찾아가 거래처 등록을 요청했으나, 규모가 작다는 이유로, 수년간 거절당했다. 수입 전문업체로 어느 정도 자리를 잡고, 은행 L/C 거래도 늘어나자, 하나둘 큰 규모의 거래처들과도 계약을 체결했다.

이제, 문 대표의 회사는 사조대림, 대한제분, SPC 등 국내 굴지의 대기업으로부터 동물 사료용 밀가루 부산물을 대량으로 매입한다. 국내외 대형업체들로부터 안정적으로 원재료를 조달받게 되니, 가격 경쟁력도 확보되었다. 거래처 수가 늘어나는 건 당연하다. 500억 원 이상 매출액을 달성한 지도, 이제 5년이 넘어간다. 문제가 없는 건 아니다. 매년 수출입 거래 규모가 큰 폭으로 증가하다 보니, 국제 곡물 가격과 환율 변동성에 대한 대응이 어렵다. 환율 관리에 서투르다 보니 재작년엔 환차손만 수억 원이었다. 다행히, 은행에서도 도움을 주고(환변동 보험 가입), 전문가를 채용해서 선물환 관리에도 신경을 쓰니, 이젠, 영업외수익으로 환차익도 발생한다.

회사 규모가 커지고, 인력이 고급화되니, 업무는 시스템화된다. 5월 가정의 달을 맞이해 열흘 정도 가족들과 함께 해외여행을 다녀왔는데도, 회사는 별 어려움 없이 잘 돌아간다. 재무제표나 감사보고서를 살펴보아도, 특별히 부각되는 재무적 부실 징후는 없다. 물론, 방심은 금물이다. 거래처 매출채권 관리, 외환리스크 관리, 주요 매입처 결제 관리만 잘하면, 앞으로도 계속기업으로 꾸준히 성장할 가능성이 크다.

이는, 불과 10년 전만 해도 상상하기 어려웠던 결과다. 개인의 무모한 선택이 사회적, 경제적 진보를 낳았다. 이소은 변호사도, 문 대표도, 주변의 반대를 무릅쓰고, 무모한 선택을 하고 난 후에야 사회적 성공과 경제적 성취를 이룰 수 있었다.

9. 대리인 경영은 위험하다

커피 가공업체를 운영 중인 40대 후반의 고 대표는 원래 컴퓨터 프로그래머였다. 삼성그룹 계열사에서 소프트웨어 개발업무를 하던, 이른바 잘 나가는 대기업 출신이다. 처가 쪽 경제력도 괜찮았던지라, 일반적인 직장인에 비해 돈 걱정하지 않고 비교적 풍족하게 살아온 편이다. 높은 연봉과 직업적 안정성, 30대 중반에 서울 시내 자가주택까지, 이 정도면 큰 욕심을 부리지 않아도, 평생 먹고사는 데 어려움 없을 수준이다.

하지만, 인생이 어디 그런가. 삶의 궤적이 롤러코스터와는 한참 멀 것 같은 일상이지만, 사실 그는 자기 사업을 하고 싶었다. 월급쟁이로 무탈하게 정년까지 잘 다니다가, 은퇴 후 편안한 노년을 보내고 싶은 사람들이 많다. 반면, 한번 사는 인생, 결과야 둘째 치고, 기업가의 길을 가려는 사람들도 있다. 고 대표는 후자였다.

그는 30대 후반까지 별다른 시련을 겪어보지 않았기에 세상을 좀 만만하게 보았을 수도 있다. 하지만, 누가 뭐라 해도 지금까지 나름 성실하게, 그리고 열심히 살아왔기에, 지금의 성취가 있음이 분명했다. 운이 전혀 없었다고 할 순 없지만, 현재의 사회적 지위와 경제력은 여태껏 살아온 제 인생의 총합이라 해도 과언은 아니다.

고 대표는 자신 있었다. 뜻이 있는 곳에 길이 있다고도 하지 않던가. 결국, 그는 30대 중반 대기업을 박차고 나와 자기 사업을 시작했다. 처가댁의 든든한 지원도 있었기에 두려움은 덜했다. 온라인 쇼핑몰이 한창 생겨나던 2000년대 후반, 그는 호기롭게 전자상거래 소매업체를 설립했다. 취급 품목은 화장품과 생활잡화였다. K-뷰티 열풍이 불기 훨씬 전이었지만, 가성비 높은 여성용 브랜드를 다수 확보하고 온라인 홍보에 신경을 쓰자, 짧은 기간 내에 해외 주문이 가파르게 증가했다.

사업은 순풍에 돛을 단 듯 순항했다. 생활용품과 화장품 산업 전반에 대한 안목이 생기고, E-Commerce에 대한 이해도가 높아지자, 회사 규모는 성장했다. 그는 경기도와 인천에 땅도 사고, 창고도 지었다. 화장품뿐만 아니라 각종 식음료 제품과 생활잡화까지, 취급 품목도 계속 늘렸다. 온라인 플랫폼에는 국경도 없다. 어느새 그는 100만 불 수출탑까지 받는 산업의 역군으로 거듭났다. 사업장을 마련하고, 시간이 10년 흐르니, 땅값도 저절로 몇 배가 올라 있었다. 사업을 시작하고 어떻게든 버티기만 하면, 돈은 건물(땅)이 벌어다 준다는 세간의 평은, 참인 듯하다. 몇 년에 한 번씩 주기적 경기침체를 겪고, 인구감소로 나라의 근본 경쟁력이 하락하니 뭐니 해도, 서울 수도권의 땅값이 떨어질 리는 만무하다.

화장품, 생활용품, 먹을거리는 코로나 팬데믹 시기에도 꾸준히 잘 팔렸다. 생필품은 수요가 꾸준하기 때문이다. 대규모 기계설비 도입이나 연구개발에 자금이 계속 투입되는 제조기업도 아니다 보니, 영업수익금으로 직원들 월급도 넉넉하게 주고, 주주 배당금도 지급할 수 있었다. 여기까지는 영락없는 성공스토리다. 그러나, 주변 지인들이 그를 가만히 두지 않았다. 잘 차려진 밥상에 숟가락만 하나 얹고 싶은 것인지. 여기저기서 투자 제안, 사업 제안이 들어왔다.

그중에서 고 대표의 시선을 끈 것이 바로 커피 가공업이다. 특별한 이유가 있었던 건 아니다. 지인(후배)의 투자 제안이 들어온 시점, 공교롭게도 그는 커피에 푹 빠져있었다. 더구나 다년간의 사업 경험으로 인해 원료 수급에는 자신 있었다. 사업 포트폴리오의 다각화, 수직 계열화라는 측면에서도 나쁠 게 없어 보였다. 그가 법인을 설립한 게 2017년이니, 이 사업도 올해로 벌써 7년 차다. 사실, 고 대표는 얼마 전까지만 해도 계륵(鷄肋) 같은 커피 때문에 밤잠을 잘 못 이뤘다. 커피를 많이 마셔서가 아니라, 커피 사업이 잘 안됐기 때문이다.

한국인의 커피 소비량이 세계 최고 수준이라는 건, 이제 더 이상 두말하면 잔소리일 정도로 상식이다. 파이가 커진 만큼, 사업 참여자 수도 크게 늘었다. 단순히, 커피 프랜차이즈 사업자만 증가한 게 아니라, 커피 원료(생두)를 수입해 원두로 가공하는 회사들도 많아졌다. 그가 생각했던 것보다 시장 경쟁은 더 치열했다. 투자 비용은 계속 증가했다.

더 큰 문제는, 그가 직접 공장을 운영하지 않고, 처음부터 후

배를 대표이사의 자리에 앉혀 경영을 위임했다는 점이다. 대기업이야, 어느 정도 비용이 발생해도, 업무 분업화와 효율화를 위해 전문 경영인(대리인)이 필요하다. 주인(대주주)이 해당 분야 전문가가 아닌 경우에는 더욱 그러하다. 대리인에게 보너스, 스톡옵션 등을 제시하면서 더 나은 성과를 내도록 독려하기도 좋다. 그러나, 그가 지분을 전액 출자한 커피 가공업체는 작은 규모의 스타트업일 뿐이다. 본인이 다른 사업 경영에 매진한다는 이유로, 가족도 아닌, 제삼자에게 전권을 위임하는 건, 어느 모로 보나 판단 착오였다.

전문 경영인은 일반적으로 단기적 이익에 매몰되어 장기적 관점에서 기업을 성장시킬 기회를 간과할 가능성이 크다. 또한, 대리인은 사업 리스크를 축소하고, 거짓된 정보로 소유자의 눈과 귀를 가릴 여지도 있다. 이른바, 대리인 비용이다. 애당초 월급쟁이 대표이사에게 과도한 책임감, 성과 부담감을 주는 것 자체가 넌센스다. 생존을 위해서라도 중소기업 대표이사 자리는 창업가 본인이 맡아야 한다.

일주일에 한두 번, 사업장에 들려 로스팅이 잘 된 커피나 한잔 마시면 되지 않겠느냐는 생각은, 좀 심하게 말하면 사장 놀음이나 다름없다. 처음 법인 설립할 당시 자본금은 5천만 원이었는데, 지금까지 그가 추가로 회사에 투입한 개인 자금(가수금)만 해도 10억 원이 넘는다. 고급 로스팅 기기 수입, 브랜딩/선별기 등 기계설비와 로스팅 자동화 프로그램 구매, 원료(생두) 재고 확보 등에 계속 돈이 들었기 때문이다.

나중에 알고 보니, 투자금이 대부분 과하게 지출됐다. 그가 출근하지도 않고, 자금관리를 믿고 맡기다 보니, 돈이 계속 센 것이다. 내부통제가 없으면, 방만 경영과 돈 사고는 불가피하다. 상황이 이럴진대, 커피 사업이 잘될 턱이 없었다. 애당초, 고 대표가 큰 금액을 과감하게 투자한 건, 사실 믿는 구석이 있었기 때문이다. 모 대기업과 커피 원두 대량 납품 계약을 체결하게 됐다는 전문 경영인의 말을 믿었기 때문이다. 게다가 그와 술자리에서 만난 대기업 경영진의 호기로운 구두 약속도, 통 큰 투자에 한몫했다.

얼마 후 고 대표는 난데없이 대기업으로부터 계약 불가를 통지받았다. 납품단가를 더 낮추어 달라는 요구까지도 수용했는데, 결국 다른 경쟁사를 파트너로 낙점했다는 소식이었다. 영업총괄자를 다그치며, 그 뒷배경을 추궁해도 잘 모르겠다는 답변뿐이었다. 안타깝게도, 대기업을 상대로 할 수 있는 일은 한탄밖에 없었다. 그렇다고 갑자기 다른 거래처가 뚝딱하고 나타나는 것도 아니고, 대기업 놈들이 미안하다며 다른 사업을 제안해 올 리도 없다.

생산성, 성장성 등 무슨 지표 하나도 나아지는 게 없으니, 아무리 믿고 맡기는 스타일의 고 대표라고 해도, 더 이상 간과할 수는 없는 일이었다. 다른 사람 원망한다고 해서 해결될 일도 없다. 사실을 제대로 확인하지 않은 본인의 잘못이 컸다. 그는 경제적 손해가 더 커지기 전에, 법인 대표이사, 직원들을 모두 내보내고, 본인이 직접 대표이사의 자리에 올랐다. 그러나, 이미 회사는 3년 연속 적자 상태였다. 특히, 작년 매출액은 그 전년도 매출액보다 30% 이상 감소했다. 기존 경영진과 직원들을 내보내고, 뒷수습하는 일에 에너지가 많이 들었다. 게다가, 예전 대기업 계약 불발 사태의 데자뷔 같은 사건이 작년에도 벌어졌다.

프랜차이즈 편의점으로 유명한 모 대기업이, 고 대표와 원두 납품 합의 단계에서 생산원가 이하의 가격으로 납품가격 조정을 요구한 것이다. 그동안 쌓아 둔 이익잉여금이 있었다면야, 대기업 거래처라는 이점을 살려, 일단 매출액과 기업규모부터 키우고 볼 일이지만, 현시점에 앞으로 벌어서 뒤로 밑지는 장사를 하다간, 바로 부도가 날 판이었다. 그는 눈물을 머금고, 계약을 거절했다. 벌써 두 번째 대기업의 민낯을 제대로 본 셈이다. 그래도 다행인 건, 커피 원두의 경쟁력이 확인됐다는 점이다. 고급 티(Tea)에 대한 수요가 나날이 증가하고 있는데, 브라질, 콜롬비아, 코스타리카, 에티오피아 등 해외에서 고품질의 원료(생두)를 저렴하게 수입하고, 커피 로스팅에도 심혈을 기울이다 보니, 아무래도 제품(원두)의 맛이 뛰어났다.

본연의 콘텐츠가 가격과 품질 면에서 경쟁력 있고, 관계회사로부터 온라인 마케팅 지원도 받자, 브랜드 인지도가 높아졌다. 쿠팡이나 네이버 스마트스토어를 통한 소매 매출도 빠르게 늘어나는 중이다. 대기업에 대한 미련을 버리니, 고객군이 넓어졌다. 고 대표가 CEO에 취임한 후 안정적인 경영권이 확보됐다. 새로 영입한 직원들도 열심히 하다 보니, 작년 말 유명 커피 프랜차이즈 사업자와도 거래하게 되었다. 이를 시작으로, 올해부터는 여러 중소형 커피 브랜드에서 주문량이 증가하고 있다. 곧 자사 몰(Mall)도 오픈 예정이니, 총매출액뿐 아니라, 영업이익도 더 높아지리라 예상된다.

계속기업으로 살아남으려면, 우선 적자 탈출이 시급하다. 3년 연속 적자 기업, 자본잠식 기업, 현금흐름 악화 기업에 쉽사리 금융지원이 될 리 만무하다. 그의 처가에서 노른자위 부동산을 담보로 제공해도, 여간해선 은행의 심사를 통과하기 어렵다. 업종 특성상, 외부 투자금을 유치하기도 어렵다. 그동안의 재무제표와 각종 자료를 살펴보니, 매출원가와 판매관리비 절감을 위한 노력이 필요해 보인다. 그래도, 작년부터는 인력 효율화를 통해 직접 노무비도 줄이고, 복리후생비, 각종 공과금, 운임, 소모품비 등 경비도 절감하고 있어 다행스럽다.

대기업보다 상대적으로 부가가치율이 높은, 중소형 커피 프랜차이즈에 대한 거래가 증가하고, 일반소비자 대상 B2C 매출도 시작되니, 잘하면 올해부터는 흑자전환도 가능해 보인다. 고 대표는 지난 10년간 경쟁이 심한 레드오션에서 살아남았다. 커피 사업은 대표적 레드오션 시장이다. 그는 이런 시장에서 숱한 악재들을 이겨내고, 포스트-코로나 시대 재도약을 준비하고 있다.

일본 속담에 복숭아와 밤은 3년, 감은 8년이라는 표현이 있다. 복숭아와 밤, 감은 씨앗을 심고 나서 열매를 맺기까지, 저만큼의 시간이 걸린다는 뜻이다. 어떤 일이 이루어지기까지는 저마다의 응당한 시간이 필요하다. 법인은 7년 전 설립됐으니, 올해가 창업기업으로서의 마지막 해다. 그래도 이제 1년 후면, 감나무에 감이 열릴 것이다. 고 대표는 복숭아나 밤을 기대했을지도 모른다. 하지만, 무르익은 감이 그에게 어울린다. 다행히, 다수의 거래처로부터 주문이 확보된 점, 커피 가공 기계의 유형자산 담보가치가 인정되어 정책금융 지원도 받게 되었다.

고 대표가 겪은 최근의 어려움은 그가 조금 더 성숙한 사람, 성공한 기업인이 되기 위한 각성의 시간이었다. 더 늦기 전에 뒷수습을 할 수 있어서 다행이다. 각성에는 향이 풍부한 코스타리카산 원두커피가 제격이다. 이젠, 그의 회복 탄력성을 지켜볼 시간이다.

10. 잿밥에 관심 두지 말아야 한다

지하철 5호선 마장역에서 내려 마장동 먹자골목 주변에 다다르면, 고기 냄새가 코끝을 찌른다. 예전부터 축산물시장으로 유명했던 지역인지라, 지금까지는 마장동 특유의 동네 분위기, 내음으로 받아들였을 터지만, 앞으로는 아닐 가능성이 크다. 성동구 왕십리, 상왕십리 주변이 서울의 중심부라 해도 과언이 아닐 정도로 변모했기 때문이다. 고급 주거지, 상업시설이 늘어나다 보니, 아무래도 기존 마장동의 이미지가 부정적으로 비추어질 수도 있을 듯하다.

이 대표가 운영하는 회사는 수입 축산물 유통업체다. 미국, 호주, 뉴질랜드에서 수입한 소고기(등심, 안심, 채끝)를 국내 도, 소매 축산물업체에 납품한다. 일반 소비자들에게 직접 판매하지 않기 때문에 굳이 먹자골목, 축산물시장에 사업장을 둘 필요는 없다. 역시, 회사를 찾아가 보니, 지하철역에서 멀리 떨어지지 않은 골목, 주택용 5층 건물 1층에 자리 잡고 있다. 건물 외관에도 신경을 많이 썼는지, 밖에서 볼 때는 여기가 축산물 유통기업이라 추측하기엔 쉽지 않다. 흡사, 건축 설계감리 전문회사 분위기마저 풍긴다.

그는 20년 이상 축산물 업계에 몸담고 있다. 유명 호텔, 대형 공판장 등에서 식육 제품 유통, 영업 등을 담당한 후 본인의 회사를 설립했다. 처음엔 국내산 한우, 돼지고기 유통업에 종사했으나, 워낙 경쟁이 치열한 탓에 차별점을 모색했다. 그가 내린 결론은, 소고기 수입이었다. 미국산 소고기 수입이 자유화되자, 회사의 규모는 점점 성장했다. 이 대표의 목적은 분명했다. 싸고, 맛있고, 질 좋은 고기를 판매하는 것이다. 회사의 경쟁우위라고 해봐야, 품질과 가격 경쟁력이 전부이다 보니, 큰 이윤을 남길 수도 없다. 남들 속이지 않고, 성실하게 영업할 뿐이다. 그러다 보니, 어느새 전국 각지에 소재한 거래처 수가 수백 개 이상으로 늘어났다.

한우가 가격만 좀 더 저렴하다면, 아이들에게 많이 먹일 텐데, 소비자 가격을 보면 엄두가 나지 않는다. 그러다 보니, 자연스럽게 미국산, 호주산 소고기를 즐긴다. 어디 나뿐만이겠는가. 애국심에 호소할 수 있는 시대도 아니다. 소비자의 선택은 오롯이 맛과 값에 달려 있다.

그는 사업에 성공했다. 20여 년간 확보해 둔 국내외 영업 네트워크가 탄탄하고, 경쟁업체보다 더 낮은 가격에 고기를 판매하다 보니, 거래처들이 여간해선 다른 구매처로 갈아타지 않는다. 회사의 자금 유동성, 현금수지가 좋아지다 보니, 판매대금 결제기일도 넉넉해 거래처들은 그저 고마울 따름이다. 선순환이 계속됐다.

마블링(Marbling) 사업으로 놀라운(Marble) 성공을 한 셈이다. 게다가, 회사 구성원들 간 단합도 잘 된다. 급여와 복지, 그리고 주주 배당을 매년 늘린 덕이다. 수입, 보관, 유통, 영업, 경영관리 등 각자가 맡은 분야에서 전문성을 발휘하고, 서로 믿고 의지하며 보낸 세월이 십수 년이다. 분업화와 전문화, 잘될 수밖에 없는 사업구조다.

능력 있는 직원들은 이 대표 밑에서 몇 년간 일을 배운 후, 아름다운 이별을 선택했다. 자기 회사를 차려 독립한 것이다. 그런데, 그들을 보내주는 이 대표의 태도는 남달랐다. 지켜보다, 싹수가 보이는 직원의 회사에는 지분투자와 원재료 할인공급으로 후원했다. 그중에는 독립 3년 만에 전자상거래 매출이 연간 100억 원 넘는 곳도 생겼다. 윈-윈이다.

작년 회사의 매출액은 300억 원이 넘는다. 신축한 사업장의 가치도 몇 년 새 크게 올라, 시쳇말로 앉아서 돈 벌었다. 부동산소득이 근로소득을 넘어선 적절한 예시다. 그 덕에 회사의 자산 규모, 기업 가치가 크게 올랐다. 건물 임대 수입은 덤이다. 코로나 팬데믹 시기에는 오히려 코로나 특수효과로 매출액이 100억 이상 더 늘었다. 가정식 밀키트 주문과 캠핑족들의 여행 증가에 따른 고기 수요가 증가했기 때문이다. 바야흐로, 이 대표의 전성기가 도래한 셈이다. 이보다 더 좋을 순 없었다.

하지만, 영원한 성공은 없다. 위기 뒤에는 기회가 찾아오고, 짜릿한 성공 뒤엔 위기의 그림자가 드리워지기 마련이다. 그도 예외는 아니었다. 어쩌면, 자가 사업장 신축으로 부동산 투자에 눈

뜬 것이 잘못이었는지도 모르겠다. 건물 가치가 오르자, 주변 부동산업자들의 연락과 방문이 늘었다. 이 대표는, 오래 안정적으로 기업을 운영하고자 지금의 자리에 회사 사옥을 신축했을 뿐이다. 그런데, 별다른 노력 없이 신축한 지 3년 된 건물을 수십억 넘는 웃돈을 주고 사겠다는 사람들이 생기니, 흥분하지 않을 수 없다. 본업이 잘 되는 와중에 부동산 투자에까지 성공한 셈이니, 거칠 것이 없었으리라. 그래도 그의 왕성한 나이를 고려하면 아직 본업을 접을 수는 없는 노릇, 본사 사옥을 팔 수는 없다.

대신, 그의 선택은 오피스텔 시행사, 시공사에 대한 투자였다. 이른바 PF(프로젝트 파이낸싱) 사업에 참여한 것이다. 보통은 은행이나 새마을금고, 저축은행 등 금융회사들이 건축물의 사업성을 파악해 대규모로 자금을 투입하는 사업이다. 총 자금 소요액 대비 PF 대출로 조달할 수 있는 자금 규모가 부족하다 보니, 시행사 측에서 인맥을 통해 이 대표에게까지 참여를 요청한 듯하다. 그가 살펴보니, 이미 오피스텔, 일반상업시설 신축, 분양에 성공한 이력이 많은 시공사였다. 재무제표를 살펴보아도, 특별히 부각 되는 부실 징후는 없었다. 재무구조도 탄탄했다. 이번에 신축하는 오피스텔 위치도 수도권 도시의 지하철 인근이었기에, 분양에 큰 어려움이 없어 보였다.

그리하여 그는 인생 베팅을 단행했다. 금액은 수십억 원이다. 여러모로 놀라운 결정이다. 사업에 성공하는 경우, 이렇게 큰돈을 벌 수 있다는 점도 놀랍고, 다른 일에 이 정도의 금액을 통

크게 베팅할 수 있다는 것도 놀랍다. 그러나, 안타깝게도 결과는 신통치 않았다. 오피스텔 분양률이 높지 않았기 때문이다. 공급과잉이다. 게다가, 거의 제로금리에 가까웠던 기준금리가 최근 1년 사이 가파르게 상승한 나머지, 시공사의 조달금리도 크게 올랐다. 결국, 시행사와 시공사가 부도 위기에 처했다. 그나마, 불행 중 다행인 것은 오피스텔 신축과 소유권 보존등기가 완료됐다는 점이다. 가장 위험한 일은 건물을 짓는 와중에, 유동성 위기에 처하는 일이다. 그러다간 시행사, 시공사, 투자자, 분양권자, 임차인 모두 큰 고통을 받게 된다.

다행히 오피스텔 절반 이상은 새로운 주인을 찾았다. 한 지방 공기업에서 직원들의 주거환경 개선을 위해 오피스텔 수십 채를 매입해 준 덕이다. 이 대표도 투자금 중 절반은 회수할 수 있게 됐다. 나머지, 물건들은 경매에 넘겨졌는데, 최초 채권자들이 협의를 통해 경매 취소 후 일괄 매수를 추진하는 중이다. 매입 후 재매각, 혹은 임대할 예정이다. 계획한 대로 일이 잘 풀려야 손해가 최소화된다.

그는 값비싼 수업료를 치르는 중이다. 수업료치곤 너무 크긴 하지만, 그래도 버틸 여력은 있다. 본업이 여전히 순항 중이고, 최악의 경우라도, 오피스텔 소유권을 넘겨받아 시간을 두고 매각하면 되기 때문이다. 교훈은 명확하다. 남의 집 제사상 잿밥에 관심을 두어서는 안 된다는 점이다. 본인의 전문 분야, 본업에 충실해야 한다. 투자는 깜냥껏, 여유자금 범위 내에서 해야 한다.

모든 투자는 고위험 고수익(High Risk-High Return)임을 유념해야 한다. 더구나, 가치주나 성장주 같은 사업성이 검증된 기업의 주식을 사는 일이 아니라면, 더욱 그러하다. 사회간접자본(SOC) 사업이나, 대규모 건설사업에 일개 개인투자자가, 굳이 개입할 필요는 없다. 자칫하다간, 초가삼간 다 태운다.

이제 와 돌이켜보니, 마치 귀신에 홀린 듯한 일이었다는 고백이다. 무슨 일이든, 일단 결심이 서고 나면, 후퇴하기가 쉽지 않다. 일 저지르고 나서 뒤늦게 후회할 뿐이다. 사람은 누구나 실수하기 때문이다. 성공에 자만해서는 안 된다. 물론, 쉽지 않은 말이다. 인간의 본성이 그렇다. 이제부터라도, 잘할 수 있는 일에 더욱 집중하고, 큰 욕심은 부리지 않아야 한다.

이 대표는 더 이상 한눈팔지 않고, 본업에만 주력할 예정이다. 여유자금이 생기면, 직원들 급여와 복지를 늘리고, 거래처들을 더 세심하게 챙길 계획이다. 기회가 되면, 전도유망한 스타트업을 찾아 지분투자를 늘리고자 한다. 그것이야말로, 가족, 직원, 사회, 더 나아가서는 이 국가에 본인이 이바지할 수 있는 최선이기 때문이다. 이제, 아픔을 훌훌 털어내고, 앞을 바라볼 때다. 마블링(Marbling)이 잘 된 소고기 제품으로, 다시 기적(Marble)을 만들어 낼 시간이다. 아직, 마장동의 시대는 저물지 않았다.

11. 제조기업은 우대되어야 한다

장사꾼과 사업가, 기업가의 차이는 무엇일까. 언뜻 말장난 같기도 하나, 곰곰이 생각하면 사업 규모의 차이가 아닌가 싶다. 스노폭스의 김승호 회장은 최신작 <사장학 개론>을 통해 장사와 사업의 차이를 알기 쉽게 구별했다. 첫째, 사장의 업무 능력이 직원들보다 뛰어나면 장사고, 직원들이 사장보다 뛰어나면 사업이다. 직원을 키우고 믿어줘야 사업 규모가 성장할 수 있다는 주장이다. 둘째, 시장의 규모다. 나의 경쟁자가 나로부터 멀리까지 존재할 때 내 회사가 장사가 아닌 사업의 영역으로 확장할 수 있다. 사업 영역에 대한 대표의 시야와 이해력이 중요하다는 뜻이다. 셋째, 수입을 만드는 방식이다. 장사를 하는 사람은 자기 노동력을 기반으로 수입을 창출한다. 음식 조리, 서빙, 배달까지 1인 3역을 다 한다면, 그건 장사다. 반면, 사업은 대표의 노동력과 별개로, 무한대의 수입, 노동과 상관없는 수입을 창출할 수 있다는 얘기다.

모두 사업의 확장성에 대한 설명이다. 십분 동의한다. 다만, 사업가와 기업가를 구별하기 위해서는, 다른 차원의 접근이 필요해 보인다. '마차를 아무리 연결해도, 철도가 되지는 않는다'. 오스트리아 출신 경제학자 조지프 슘페터의 멋진 표현이다. 창조적 혁신이 무엇이고, 얼마나 어려운 일인가를 설명하기에 좋은 문구이기도 하다. 혁신은 불연속적인 변화이고, 그 핵심은 새로운 결합에 있다. 신 결합, 즉, 혁신은 구체적으로 5가지의 경우를 포함한다. 새로운 상품, 새로운 생산방법, 새로운 시장, 새로운 원자재(공급원)의 발굴, 새로운 조직 등이다.

그렇다. 기업가는 다름 아닌, 새로운 결합을 해내는 사람을 의미한다. 그러니, 자영업자, 사업가는 많아도 기업가는 많지 않은 것이다. 함부로 기업인 호칭을 달아 줄 일은 아니다. 그렇다고, 2023년을 사는 우리가 20세기 초반 경제학자 슘페터의 정의에 너무 얽매일 필요는 없다. 그는 창조적 파괴의 개념을 도입한 훌륭한 (이론) 경제학자였기는 해도, 현실적으로는 경제공황과 은행 파산을 막지 못한 관료(장관, 은행장)이자, 개인 투자에 실패해 빚에 허덕인 적도 있는 보통의 사람이기도 했다. 이론과 현실 간 차이는 크다.

다시 정의하면, 기업가는 기존의 제품(상품 또는 서비스를 포함)과는 다른, 한 끗 차이를 낼 수 있는 사람이다. 그리고, 그 차이는 우리에게 더 나은 만족감(효용)을 제공하는 것이어야 한다. 이는, 지식재산권(IP)으로 구체화 된다. 지식재산권(Intellectual Property)은 인간의 지적 창조물 중에서 법으로 보호할 만한 가치가 있는 것들에 대한 법적 권리를 의미한다. 산업재산권에는 특허권, 실용신안권, 디자인권, 상표권 등이 있고, 저작권은 글, 영화, 음악, 그림 등 새로운 예술 작품에 대한 권리를 의미한다. 이제 좀 명확해졌다. 지식재산권을 보유 중인 기업, R&D 투자를 꾸준히 하는 기업, 새로운 아이템 개발에 적극적인 기업이 바로,

혁신기업이고, 그 기업의 CEO가 바로 (창조적) 기업가다.

그런 의미에서, 오늘 만난 정 대표는 명실공히 기업가라 부를 만하다. 원래 그는 대학에서 영문학을 전공하고, 보험회사에 취업했다. 여기까지만 보면, 전형적인 인문계 출신 직장인의 모습이다. 하지만, 일이 영 적성에 맞지 않았고, 고민 끝에 전혀 다른 업종의 회사로 이직했다. 새로운 도전이 창조적 파괴(Creative Destruction)를 낳는 법이다. 그가 옮긴 곳은 산업 안전용품을 개발, 생산하는 회사였다. 산업 현장 노동자들에게 필요한 보호장비인 안전모, 무릎 보호대, 발목 보호대, 장갑, 세이프티 바(Bar), 리프트 등을 개발, 생산하는 법인이었다. 영업 전문가가 되기 위해서라도, 제품 기술에 대한 이해는 필수였다. 그는 뒤늦게 대학원에 진학해 산업 안전 공학 분야 석사학위를 취득했고, 박사과정에도 진학했다. 얼마 전에는 지도 교수님과 함께 해당 분야 전문 서적도 집필했다. 그뿐만이 아니다. 여러 가지 이유로, 경영일선에서 물러난 전 대표이사를 대신해, 지분을 인수하여 직접 대표이사의 자리에 앉은 것이다.

불과 7년 사이, 정 대표는 완벽하게 변신했고, 회사의 사업도 재편되었다. 이런 변화를 피봇팅(Pivoting, 사업 방향의 대전환)이라고 한다. 세상이 빠르게 변하니, 제품도 업그레이드가 필요했다. 안전모에 인공지능(AI) 카메라를 장착했다. 무릎 보호대와 발목 보호대는 사용자 편의성을 높였다. 지게차와 리프팅 기계도 자동화(인공지능 로봇)했다. 그 과정에서 다른 회사들과의 기술

협업은 필수였다. 제품생산은 외부 협력업체에 위탁했다. 생산장비와 기계설비를 도입하고, 제품생산까지 도맡아 하자면, 투자비용이 어마어마하게 늘어나기 때문이다. 부족한 자금력을 보완하기 위해서는 기술개발 전문기업이 되어야 한다. 그러나, 산업용 안전용품 개발 기업 타이틀만으로는 부족했다. 회사가 계속기업으로 살아남고, 성장하기 위해서는 새로운 사업 아이템이 필요했다.

정 대표는 직원들과 합심하여 계속 특허를 출원했고, 총 7건의 특허권 등록에 성공했다. 개인 명의로 취득한 특허권도 여러 개였는데, 제품화에 성공한 후에는, 과감히 회사에 양도했다. 20대의 낭만적 영문학도는 시대의 흐름에 발맞춰 변신을 거듭해 어느덧 40대의 기술형 CEO가 되었다. 문학도가 문단에 등단하는 대신 특허권자로 이름을 올린 것, 이게 바로 창조적 파괴의 증거 아니겠는가.

기업가가 혁신의 주체라는 슘페터의 주장은, 여전히 유효하다. 단, 이론적 배경과 실무 역량을 겸비한 기업가여야 한다. 회사에 문제가 없는 것은 아니다. 사실 해결해야 할 과제가 많다. 기존 제품보다 조금이라도 더 나은 제품을 완성하기 위해서는 돈과 기술, 인력, 시간이 필요하다. 하지만, 무엇하나 저절로 생기는 건 없다. 이 땅에서 기술 기반의 제조업이 생존하기 어려운 이유다. 정 대표의 회사도 예외는 아니다.

외부 대출금(차입금)은 계속 늘어났고, 매출은 정체됐다. 특허권 하나 신청하고, 평가받고, 등록하는 데도 최소 수개월의 시간이 필요하다. 그 사이에도, 투자, 기술 협업, 테스트, 시제품 생산은 계속되어야 한다. 자금과 인력이 계속 투입되어야 하는 것이다. 모두가 인정하는 지식기반 기업이 되어야 하기에, 기업부설연구소, 벤처기업, 이노비즈 기업, 경영혁신형 중소기업 등록도 마쳤다. 구성원 모두의 역량이 투입되어야 가능한 일이다.

어떻게 보면, 정 대표의 회사는 한계기업으로 비추어진다. 회사의 매출액보다 대출금 규모가 더 크기 때문이다. 기술개발, 제품 개발에 힘쓰다 보니, 회사에는 특별한 유형자산도 눈에 띄지 않는다. 오로지, 영업권, 개발비(특허권)만 도드라질 뿐이다. 더구나, 최근 몇 년간은 코로나 팬데믹의 영향으로 현대차/기아차 같은 기존 거래처 생산 공장에 휴업이 잦았다. 공장이 제대로 가동되지 않으니, 안전용품에 대한 수요가 줄었고, 회사의 매출액 감소는 당연한 결과였다. 게다가, 야심 차게 추진하던 공장 신축 프로젝트도 원자재 가격의 급등으로 중단되었다. 반면, 땅 매입을 위해 제2금융권에서 빌린 고금리의 시설자금 대출은 여전히 보유 중이다.

말 그대로, 진퇴양난(進退兩難)이다. 매출은 정체지만, 생존과 성장을 위해서는 새로운 아이템 개발을 지속해야 한다. 그 과정에서 돈과 자원은 계속 투입될 수밖에 없다. 매월 이자 비용만 수천만 원에 달하니, 새로운 돌파구 그리고 외부의 긴급 수혈도 필요한 상황이다.

누가 고양이 목에 방울을 달 것인가. 다행히, 회사의 기술력을 높이 평가한 외국계 투자법인에서 작년 말 수억 원을 투자했고, 동시에 전환사채도 인수했다. 1차 고비를 무사히 넘겼다. 아니, 고비를 넘긴 수준이 아니라, 재도약의 발판을 마련한 셈이다. 역시나 정부보다는 시장이 신속하고, 과감하다. 벤처 자본의 도움으로, 회사는 공기 필터 제조 관련 특허권과 흡연 부스 제조 시스템 특허권을 등록할 수 있었다. 상품성과 실용성이 뛰어난 신규 아이템이다.

이 특허를 높이 평가받아 신용보증기금에서 낮은 금리의 정책금융 지원을 받았다. 이뿐만 아니라, 얼마 전에는 한시적으로 유럽에서 수입한 쿨조끼를 국내 유명 아웃도어 의류기업에 대량 납품하는 데도 성공했다. 자금난이 해소된 것이다. 올여름 날씨가 유난히 더울 것이라는 예상, 코로나 엔데믹으로 근로자들의 야외 업무가 다시 활성화될 것이라는 예상이 제대로 맞아떨어진 결과다. 가뭄에 내린 단비였다. 여름에는 쿨조끼, 겨울에는 웜조끼 판매로 이어질 수 있으니 다행이다. 창조적 기업가에게는 상상 밖 기회도 생기기도 한다.

누구나 플랫폼 기업을 만들고 싶어 한다. 많은 돈을 들이지 않고도, 큰돈을 벌 수 있다고 생각하기 때문이다. 그러나, 가만히 생각해 보면, 플랫폼(Platform_애플리케이션)은 콘텐츠와 콘텐츠를 결합해 주는 도구이기는 해도, 그 자체가 새로운 결합, 즉, 혁신이라고 보기는 어렵다. 조금 격하게 표현하자면, 여러 가지 제품을 포장해 주는 포장지, 보따리가 썩 대단한 발명품은 아니지 않은가.

물론, 기업의 가치에 대한 평가는 다른 문제다. 정 대표도 젊은 기업가들이 새로운 아이디어를 기반으로 플랫폼 기업을 만들고, 대규모 투자유치와 홍보에 성공해 유니콘 기업으로 성장하는 걸 보면, 부럽기도 하다. 하필이면 왜 제조업체를 인수해서 이게 무슨 고생이냐는 푸념도 늘어놓는다. 수십억 원의 대출금 앞에서 흔들리지 않을 기업인은 없다. 하지만, 그의 한숨은 일시적이다. 그동안 구축된 회사의 기술력, 그리고 신제품에 대한 자신감이 있기 때문이다.

제조기업은 우대되어야 한다. 공장을 짓고, 중후장대한 생산설비와 기계장치를 도입해 제품을 생산하고, 생산량 증대를 위해 추가적 시설투자와 기술개발을 단행하는 제조기업은 정부 영역에서 최대한 지원해 줘야 한다. 시장에서 팔리지 않는 제품을 생산해 잔뜩 재고로 쌓아 두는, 말 그대로의 한계기업이 되지 않는 한, 제조 기반의 기술기업, 지식기반 중소기업은 우대되어야 한다. 법으로 보호되는 특허권도, 정부의 이름으로 내어준 각종 인증도, 모두 경제적 가치로 환산해 교환가치 및 장부가치로 인정해줘야 한다. 그런 게 제도권의 역할이자, 적극 행정이다.

누군가는 소를 키워야 한다. 그래야 기본적인 먹을거리가 생긴다. 제조업은 소를 키우는 일이다. 정 대표는 호랑이의 시선과 소의 발걸음(虎視牛步)으로 우직하게 농사짓고 있으니 안심이다. 혁신적 기업가인 그의 앞날에 행운이 가득하길 바라본다.

12. 성공은 각본 없는 드라마다

다채널 시대다. 한때는 공중파 3사가 우리가 보고, 듣고, 이야기할 수 있는 전부였다. 물론, 아직도 그 시절 이야기하면 꼰대 소리 듣는다. 지금의 방송국은 공룡 같다는 비아냥을 듣기도 한다. 덩치는 큰데, 멸종 위기에 처했다는 표현이다. 세상은 빠르게 변한다. K-POP, K-드라마의 열풍은 여전한데, 과연 그 인기가 대중성과 보편성에 근거하고 있는지는 잘 모르겠다. 열광적인 팬덤(Fandom)을 보유한 아이돌, 배우, 셀럽들이 전 세계를 무대로 활동하며, 큰돈을 벌고 있는 건 분명하나, 전 세대에 어필하는 작품인지는 다른 문제다.

BTS, 블랙핑크의 유명세야 다 아는 바지만, 그들이 만든 음악이 대중성과 보편성을 가졌다고 말하긴 어렵다. 대중문화라는 말이 무색할 정도로, 대중의 취향도, 장르도, 채널도 다양해졌다. 지금은 다품종 소량 생산의 시대다. 당장 유튜브, 넷플릭스만 열어보아도 콘텐츠가 차고 넘친다. 전 세계 1등 채널 안에서도 콘텐츠 간 경쟁이 치열한데, 경쟁 플랫폼은 또 얼마나 많은가. 불과 10년 전만 해도, 대중문화는 공급자 위주의 시장이었는데, 지금은 소비자 우위의 대표적 산업이 되었으니 소비자로선 환영할 일이다. 치열한 경쟁을 통해 재미있는 콘텐츠가 실시간으로 제공되고 있으니 말이다.

그러나, 콘텐츠의 범람에도 불구하고, 고전(클래식)에 대한 기대감은 지울 수 없다. 강력한 인상을 남긴다고, 자극적 도파민을 분출시킨다고, 고전이 되는 건 아니다. 강렬한 첫인상은 오히려 쉽게 질리고, 금방 잊힐 가능성이 크다. 물론, 문화에 좋고 나쁨, 옳고 그름은 없다. 예술성, 대중성, 상업성, 작품성에 대한 기준도 제각각이다. 그저, 직관적으로 자신에게 딱 맞고, 감동을 주는 영화, 드라마를 찾을 뿐이다. 우리는 누구나 문화적 인간(Homo Culturalis) 아니겠는가.

다채널 시대, 인생 드라마를 찾는다고 해서 타인의 동의를 얻을 수 있을지는 미지수다. 60억 인구마다, 각자의 인생을 관통하는 역사와 수많은 사연이 있기 때문이다. 누구든 태어나 죽는다는 명제를 빼고는, 우리 인생은 보편성보다는 특수성, 의외성, 일회성 사건들의 연속이다. 애당초 모두가 공감하고 동의하는 인생 드라마란 어불성설인지도 모른다. 모든 이에겐 그저 자신만의 인생 드라마가 있을 뿐이다. 콘텐츠의 다양성이 필요한 이유다.

오늘 만난 최 대표는 드라마 제작사를 운영한다. 그는 대학에서 경영학을 전공하고, 대기업에 취업해 10년 가까이 다녔다. 명색이 매니지먼트사 대표라면, 신문방송학을 전공해 방송국/광고회사 PD가 되거나, 문학을 공부한 후 작가 혹은 연출부로 경력을 쌓거나, 그것도 아니면 연예 매니지먼트사에 입사해 배우 매니저라도 하며 현장 경험을 쌓았을 법한데, 재미없게도 고작 대기업 사무직이라니, 역시 인생은 예측하기 힘든 드라마다.

그는 우연한 기회에 지인과 함께 광고, 홍보영상 제작업을 목적으로 하는 법인을 설립했다. 그의 나이 30대 후반의 일이다. 생뚱맞은 도전이었지만, 광고 분야 전문가와 함께였고, 한편으로는 뻔하고 뻔한 대기업 직장인의 일상에서 탈출하고 싶은 욕심도 컸기에, 창업이 그에게는 새로운 기회였다. 10년 이상의 대기업 경력, 영업과 마케팅에 대한 자신감, 넓은 인적 네트워크, 거기에 광고 분야 경력직들의 합류까지 있었으니, 그가 실패를 염두에 둘 일은 없었다.

그러나, 법인설립 후 3년 동안 실적이라곤, 무명 가수의 뮤직비디오 한두 편 제작, 작은 기업의 홍보 동영상 촬영이 전부였다. 결국, 3년 만에 법인은 청산했고, 직원들은 뿔뿔이 흩어졌다. 굳이 다행이라면, 청산 못할 빚이 남지 않았다는 점이다. 그래도, 최 대표는 대기업 사무직 때보단, 훨씬 생동감 있는 인생을 살게 되어 다행이란다. 실패치고는 채무상환 부담감이 없다는 점도, 해당 업계에서 계속 승부를 보아야겠다는 의지를 유지하는 데 도움이 됐다. 중요한 건 꺾이지 않는 마음, 그리고, 감당하지 못할 빚을 떠안지 않는 것이다.

그는, 이후 드라마, 영화 등 영상 제작을 전문으로 하는 문화콘텐츠 기업에 경력직으로 입사했다. 그곳에서 10년을 보내니, 업계 전반에 관한 시야가 트였다. 세상에 드라마나 영화로 내보일 만한 소설, 웹툰, 이야깃거리를 찾고, 원작자와 협상해 저작권을 사들이고, 각본을 각색할 작가를 발굴하고, 배우와 연출자를 섭외하고, 방송사/영화 배급사/OTT 플랫폼 회사를 찾아다니며 제작 편성을 요청하는 일이었다.

성공 방정식 따위는 없었다. 빠듯한 예산에도 상사와 주주들을 설득해 수천만 원, 수억 원을 주고 호기롭게 사들인 원작에 대한 반응은 제각각이었다. 열이면 열, 보는 눈은 천차만별이다. 그러다 보니, 함부로 작품의 성공과 실패를 예단하기 어려웠다. 원작은 하나여도 이를 어떻게 촬영하고, 풀어내느냐에 따라 작품은 로맨틱 코미디가 되기도, 미스터리 스릴러가 되기도 한다.

원작, 연출, 촬영, 배우, 스태프, OST, 코로나, 주가지수, 경제성장률, 날씨, 전쟁. 드라마 성패에 영향을 미치는 요인 중 일부다. 공통된 기준은 없다. 저마다 가장 중요하다고 보는 성공의 요소, 실패의 원인이 다르다. 내가 생각한 장점이, 누군가에게는 확고한 단점이기도 하다. 결국, 어떤 작품이 선택받을지, 흥행에 성공할지는 아무도 모른다.

그렇다고 모든 성공이 운이라는 뜻은 아니다. 대충 만들어 놓고, 넷플릭스나 KBS에 찾아가 이 작품 사달라고, 방영해 달라고 조른다면, 그건 망하는 지름길이다. 변덕스러운 대중의 반응을 일일이 통제할 수 없을지언정, 한 작품 한 작품 모두 나름의 최선을 다해 완성해야 한다. 중간중간 이해 관계자들의 피드백을 반영해 시나리오를 수정하는 것도 불가피하다. 규격화된 제품이나 상품, 서비스와는 달리, 문화콘텐츠는 살아 있는 생물과 같다.

변화무쌍하고, 어떻게 흘러갈지 예측하기 어렵다. 최 대표의 경험에 따르면, 첫 기획 단계의 시놉시스가 끝까지 유지된 경우는 한 차례도 없다. 하기야, 박찬호 봉준호 정도 되는 명장이 메가폰을 잡고 끝까지 본인 생각대로 밀어붙이지 않는 한, 어떤 작품이 흔들리지 않겠는가.

더구나, 그의 회사는 우리가 들으면 아무도 모를 작은 기업 아니던가. 자기중심을 잃지 않으면서도, 양보와 타협의 융통성을 발휘하는 건 어려운 일이다. 대기업이 아닌 이상, 공급자의 협상력을 유지하는 일은 불가능에 가깝다. 소형 콘텐츠 제작사는 작가, 감독, 배우, 촬영 스튜디오, 방송사(플랫폼), 관객(시청자)의 눈치까지 살펴야 한다. 처음부터 끝까지 제 맘대로 할 수 있는 일은 없다. 모든 것이 불투명한 상황, 드라마 한 편이 온전히 완성돼 이 세상의 빛을 보는 건, 그 자체만으로도 기적이라 할 만하다. 최종 소비자인 시청자의 사랑을 받느냐, 아니냐는 둘째 문제다. 개발 중인 20여 편의 라인-업 중 한두 편이라도 방영되면 대성공이다.

2023년 현재 넷플릭스, 티빙, 쿠팡플레이, 웨이브, 디즈니 플러스에 이르기까지 우리나라 OTT 플랫폼 기업 간 경쟁이 치열하다. 경쟁이라지만, 넷플릭스를 제외하면, 사실상 치킨게임이나 다름없다. 막대한 자본이 투입된 플랫폼 사업자의 내일도 장담하기 어려운데, 그 많은 플랫폼 안에 작품 하나 판매하기 위해 최소 수개월, 최대 몇 년은 영혼을 갈아 넣고, 대답 없는 메아리를 외쳐야 하는 콘텐츠 제작기업의 고충은, 감히 쉽사리 헤아리기 어렵다.

그럼에도, 최 대표는 몇 해 전 다시 법인을 설립했다. 이번엔 방송국 드라마 제작 경험이 있는 젊은 PD들과 함께였다. 다행히 이들의 경험과 경력, 작품 포트폴리오의 성장 가능성을 높이 평가한 전략적 투자자들로부터 초기 투자금도 유치했다. 단기간에 승부를 보기는 어려운 분야이니, 길게 호흡하기로 다짐했다.

꿈과 현실 사이 차이는 여전하다. 사업 초창기, 시나리오, 연출, 작가, 배우 섭외까지 마무리된 작품 하나가, OTT 회사와 잘 이야기되던 중 최종 계약 단계에서 무산됐다. 대표 본인뿐 아니라, 구성원들의 상처가 이만저만 아니었다. 시간, 열정, 투자금(저작권료, 작가료, 감독/촬영 스태프 계약금 등)도 되돌려 받을 길은 없다. 그러나, 업계 특성을 고려하면 전혀 뜻밖의 일은 아니다. 본인이 할 수 있는 일을 다 한 뒤라도 선택받기 위한 기다림이 필수이기 때문이다. 계약의 상대방이 있는 한, 스스로 통제할 수 없는 영역이 존재한다. 작품의 흔적과 경험이 고스란히 남아 있으니, 그저 때를 기다리면 된다.

그래도, 처음을 생각하면 장족 발전이다. 첫 2년간은 연간 매출액이 수천만 원에 불과했다. 그마저도, 주변의 도움이 있었기에 가능한 일이었다. 그래도 공중파 인기 드라마 제작 PD 출신들이 의기투합해 설립한 회사인데, 아무리 창업 초기라 해도 기대 이하였다. 그때는 자존심 상했지만, 이제 와 돌이켜보니, 단 한 명의 고객이라도 얼마나 소중한지 모른다. 열과 성을 다한 노력이 하늘에 닿았는지, 아니면 원작(시나리오)이 뛰어났던지, 그것도 아니면 시절과 운을 잘 탄 것이었던지 간에, 결국 최 대표는 작년 한 해만 총 2편의 드라마를 제작 판매하는 데 성공했다. 한 작품당 판매가격은 수십억 원에 이른다. 총 15년을 버틴 결과였다.

업종 특성상 매출액 대비 제작 원가 비중이 높다. 일반적인 경영자라면 회사 밖으로 지출할 비용을 최소화하고, 내부 유보금과 수익률을 높이는 게 최선일 터다. 하지만, 상부상조해야 너도 살고, 나도 사는 게 이 업계의 특징이기도 하다. 주주와 직원들에게 이해를 구한 최 대표는 욕심부리지 않고, 외주 업체들과 수익을 나누었다. 완성작이 세상에 제 모습을 드러냄으로써, 회사 임직원은 생계를 유지하고, 다음 작품을 준비할 여유를 비축하게 된다. 회사 밖 촬영 스태프, 작가, 감독, 수많은 무명 배우에게도 큰 도움이 됨은 두말할 필요도 없다. 작품 한 편의 탄생은 수십 명, 아니 수백 명의 인생에 영향을 준다.

잘만 되면 K-콘텐츠는 우리나라가 문화강국으로서 위상을 공고히 하고, 경제적 부가가치를 창출하는데도 크게 기여한다. 사명감과 자부심이야말로, 최 대표를 위시한 문화산업 종사자들이 이 업계를 떠나지 못하는 이유다. 넷플릭스에 대한 세평은 다양하다. 글로벌 플랫폼에 대한 부정적 평가와는 별개로, 문화콘텐츠 최종 생산자로서 역할은 인정받아야 마땅하다. 내 맘에는 안 들지언정, 한 편의 드라마가 누군가의 인생을 뒤바꿀 수도 있는 일이다. 매월 만 원의 구독료로 인생 드라마를 만날 수도 있고, 문화적 인간의 품격도 유지할 수 있으니, 마다할 이유는 없다.

그를 응원하다 보면 <미생>, <나의 아저씨>, <비밀의 숲>을 능가하는 인생 드라마를 만날지도 모를 일이다. 열과 성을 다하는 콘텐츠 제작자의 인생이 해피 엔딩이면 좋겠다. 이제, 주말 밤은 콘텐츠 바닷속 나만의 보물(고전)을 찾는 시간이다.

13. 단순한 것이 최고다

여기, 자기 인생을 열심히 살아가던 40대 중반의 남성이 있다. 누가 보아도 인정할 만한 경력이다. 명문대 졸업, 경영학 분야 최고의 전문 자격증 취득, 대기업 취업, 미국 주재원 근무에 빠른 승진까지. 탄탄대로였다. 게다가, 겸손의 미덕까지 갖추고 있으니, 계속 회사에 남았으면, 임원 승진은 따 놓은 당상이다.

하지만, 김 대표의 생각은 좀 달랐다. 그간 열심히 살아온 모범생인 건 본인도 인정. 그러나, 더 늦기 전에 주도적인 인생을 살고 싶다는 생각이 들었다. 엘리트 직장인이 어울리는 인상이지만, 말투에서는 독립에 대한 강한 의지, 그리고 강단이 느껴진다. 주재원으로 미국에 와서 살다 보니, 오래된 꿈이 한층 강하게 다가왔다. 때마침, 친구로부터 동업하자는 제안도 들어왔다.

인생 2막의 시작이다. 그도 대기업 임원의 꿈을 안 꿔 본 것은 아니다. 하지만, 간과 쓸개 다 내놓고, 조직 내 경쟁자들 등 뒤에 비수를 꽂아가며까지 별이 되고 싶지는 않았다. 그럴 각오라면, 내 사업을 하는 게 더 낫겠다는 판단이 섰다. 한 번 사는 인생, 하고 싶은 일을 해 보라는 아내의 지지까지 얻었으니, 더 머뭇거릴 필요는 없었다.

마흔 중반, 회사에 사표를 내자 모두가 의아했다. 그동안 잘 살아왔다는 증거라 생각하니, 만족스러웠다. 사직서가 아닌 출사표라는 그의 말을 들은 동료, 선후배들의 응원도 이어졌다. 박수받는 퇴장은 아무나 누릴 수 없는 영광이다.

그러나, 무턱대고 창업할 수는 없는 일이었다. 김 대표는 사업 아이템을 찾기 위해 수개월을 고민했다. 그가 내린 결론은 의자(Chair)였다. 가구산업은 가격에 민감한 가치소비와 감성 중심의 프리미엄 시장이 공존하는 묘한 산업이다. 휴식을 중요시하는 분위기, 개인의 다양한 기호를 반영한 디자인과 기능성, 소득 수준의 향상 등을 생각하면 충분히 경쟁력이 있어 보였다.

디자인과 품질이 뛰어난 사무용 의자, 게임용 의자를 만들어서 합리적인 가격에 판매하겠다는 계획을 세웠다. 동업자인 이 대표가 대학 졸업 후 20년간 무역업에 종사 중인 중국 전문가라는 점까지 고려한 의사결정이었다. 그들은 의자 제조업, 수출입업을 목적으로 하는 법인을 설립했다. 중국 상해와 광저우에 생산 공장도 섭외했다. 중국에서 의자를 제조한 후, 아마존을 통해 미국 소비자들에게 판매하겠다는 계획이었다. 간단한 비즈니스 모델이다.

G1, G2 국가는 N0.1 자리를 놓고 주도권 싸움을 하지만, 사실 미국과 중국은 공생(共生)하는 운명이다. 어느 나라, 어느 정부든 간에 먹고사는 문제를 가장 앞 순위에 두고 외교활동을 한다. 겉으로는 티격태격하더라도, 중국에서 생산된 의자는 미국 소비자의 선택을 받는다.

김 대표는 디자인으로 특화된 국내 대학교와 산학 협력을 맺고, 전문가들의 조력을 받았다. 예전에 인연을 맺었던 사람들이

기다렸다는 듯이 발 벗고 나서 도움을 줬다. 1년 정도 시도 끝에 세상 어디에 내놓아도 손색없는 의자가 만들어졌다. 중국의 노동력, 생산시설을 활용했더니, 제조 원가도 절감됐다. 유명 업체 제품 대비 20% 이상 낮은 가격으로 소비자 가격을 책정할 수 있게 됐다.

이제, 모든 준비는 끝났다. 아마존 사이트에 의자 사진을 올려놓고, 폭주하는 주문만 기다리면 되는 줄 알았다. 그러나, 계획한 대로 술술 풀린다면, 그게 어떻게 인생이겠는가. 의자는 잔뜩 만들었는데, 별다른 성과 없이 무려 2년 가까운 시간이 흘렀다. 자본금도 거의 소진됐다. 멀쩡하게 잘 다니던 회사를 왜 나왔을까 하는 후회가 생겼다. 가장으로서의 체면도 말이 아니었다. 그러나, 돌아갈 길은 이미 불태우고 난 후였다. 인생 최대의 위기였다.

2년은 절치부심(切齒腐心)의 시간이기도 하다. 전 세계 최고의 밀림, 기업들의 각축장, 아마존(Amazon)에서 소비자들의 선택을 받을 방법을 찾아내야만 했다. 회사 안에서 답을 찾을 수 없다면, 과감하게 외부 자원을 활용할 줄도 알아야 한다. 주변을 수소문해 아마존 온라인 마케팅 경험이 있는 직원을 스카우트했다. 김 대표는 본인의 주식 지분도 과감히 양도하며 능력자에게 힘을 실어줬다.

한 끗 차이가 필요했다. 아마존 밀림 속 경쟁은 생각보다 훨씬 치열했다. 직원이 과감한 아이디어를 내면 '그게 가능하겠어?' 라고 되묻는 게 일반적인 상급자다. 그러나, 어떤 CEO는 '그래, 좋은 생각이네, 한번 해 봅시다" 라고 답한다. 김 대표는 후자다.

게임용 의자에 마블(MARVEL) 캐릭터들을 새겨 넣으면 어떻겠느냐는 아이디어였다. 생각은 결국 현실이 되었다. 계속 디즈니사의 문을 두드렸고, 기다림 끝에 라이선스 계약을 체결하기에 이르렀다. 나중엔 아이언맨, 로버트 다우니 주니어가 의자 사진을 찍어 SNS에 홍보하는 일까지 생겼다.

아이언맨, 블랙펜서, 데드풀, 캡틴 마블에 이르기까지, 이 정도면 게임용 의자 업계의 일대 혁명이다. 아니나 다를까, 온라인 주문이 서서히 증가하기 시작했다. 기능성이 뛰어난 디자인에 마블 캐릭터, 거기에 가격까지 낮은 편이니, 미국 소비자들에게 입소문이 나는 건 시간문제였다. 별점이 오르고, 아마존 순위는 가파르게 상승했다.

첫 해 2억, 이듬해 5억 원 수준이던 매출액이 다음 해에는 120억 원 수준으로 급등했다. 1년 매출액 성장률이 무려 2,400%다. 남들이 콧방귀 뀌던 무모한 도전이 뜻밖의 결과로 이어졌다. 간절함을 담아 계속 연락했더니, 마블(Marvel)과 계약하는 마법(marvel)이 일어난 것이다.

주문이 급증해도 문제였다. 운영 자금이 부족했다. 중국 공장에서 의자를 만들어 배에 싣고, 미국 내 창고에 보관하다가, 주문이 들어오면 각 가정에 배달한 후 판매대금 결제받는 데까지 걸리는 시간은 최소 2개월이었다. 원재료 매입비와 직원 인건비, 공장 임차료, 전기세는 먼저 지급해야 하는데, 최소 두 달이 지나야만 판매대금이 들어오기에 늘 자금이 부족했다. 흑자도산이라는 말이 괜히 있는 게 아니었다. 자칫하다간, 100만 불 수출탑 수상기업이 하루아침에 부도날 처지였다.

수출 주력 기업은 정책금융 지원 1순위 대상이다. 김 대표의 우려와는 달리, 낮은 금리로 정책자금을 잘 받아서 어느 정도 숨통이 트였다. 이후 회사의 매출액은 가파르게 성장했다. 크리스마스 시즌에 판매량이 급증해 아마존 내 의자 판매 1위에 오르는 기염을 토했다.

돌이켜 보면, 김 대표는 준비된 사업가다. 경영학 전공, 대기업 근무 경력, 외국어 활용 능력, 배우자의 응원, 자본 조달력, 동업자와의 신뢰 및 역할 분담에 이르기까지, 창업의 정석이었다. 물론 그가 창업을 위해 경력을 쌓은 것은 아니다. 열심히 살아오다 창업에 이르렀을 때, 기존 경험과 성과가 자연스레 회사 경영 과정에 녹아들 뿐이다. 사업 성공은 로또 당첨과는 차원이 다르다. 행운에 기댄 성공 기업은 없다.

불과 5년 만에, 자본금 5천만 원짜리 법인이 한국, 중국, 미국, 일본을 넘어 유럽까지 진출하는 글로벌 강소기업으로 거듭나는 중이다. 올해 예상 매출액은 400억 이상으로, 계속 상승세다. 의자 하나면 충분했다. 단순한 것이 최고다 (Simple is the best). 회사 규모가 증가함에 따라, 회사 구성원들의 꿈도 함께 성장 중이다. 한국, 중국, 미국, 일본을 넘어 유럽 대륙까지, 해외 진출도 확대일로다. 김 대표의 꿈에는 한계가 없다. 공교롭게도, 바퀴 달린 의자 역시 어디든 갈 수 있다.

14. 늦깎이 스타는 오래 빛난다

정 스타는 원래 글쓰기와 그림을 좋아하는 미대생이었다. 그러다, 뒤늦게 연기자의 꿈을 꾸었다. 남들보다 늦게 서울예대에 진학했지만, 20대 중반에 공중파 TV 시트콤 출연의 기회를 잡았다. 시작은 좋았다.

그러나, 삶은 예상대로 흘러가지 않는다. 함께 출연했던 동료들은 하나둘 스타가 되어 가는데, 어쩐 일인지 그는 15년을 무명으로 보냈다. 그사이 결혼도 하고, 아이들도 생겼다. 가장으로서 경제적 책임감은 커졌지만, 소득은 그에 비례하지 않았다. 주변의 숱한 만류와 반대에도 불구하고, 그는 버티고 또 버텼다. 타고난 재능은 아닐지언정, 자신이 꿈꾸던 분야에서 일할 수 있음에 감사하며 오랜 기간 자리를 지켰다.

단역, 조역, 코미디 쇼 등 가릴 것 없이 불러주는 곳이면 어디든 달려갔다. 자연스레 연기력이 늘었고, 동종업계 내 인지도가 올라갔다. 대중은 그의 이름을 잘 몰랐지만, PD와 감독, 작가들이 먼저 그의 진가를 알아봤다. 물론, 스스로 이런 분위기 변화를 감지하기는 어렵다. 끝이 보이지 않는 터널 안에 갇힌 느낌이었으리라.

그사이 방송계는 공중파 3사에서 케이블, 종편, 유튜브를 비롯한, 다채널 시대로 변했다. 그는 아날로그 세대였지만, 플랫폼 시대는 오히려 그에게 기회였다. 시장이 커지자, 일상 연기, 코믹 연기, 노래까지 소화가 가능한 그를 찾는 플랫폼이 많아졌다. 어느 파트너를 만나도 잘 융화하고, 능청스러운 코믹 연기까지 잘 해내니, 이미지 관리하는 한류스타나 외모만이 경쟁력인 동년배들보다 불러주는 곳이 많았다.

화면 밖에서 십수 년의 삶을 살아온 그는 우리와 비슷한 이웃이기도 하다. 언제 찾아올지 모르는 기회를 잡기 위해 노심초사하면서도 기꺼이 비정규직의 삶을 살아냈기에 누구 못지않게 인생의 쓴맛을 잘 안다. 그를 끝까지 믿고 격려해 주는 아내, 그를 최고라고 생각하는 자녀들의 응원 덕분에 버틸 수 있었다.

마흔이 넘어서야 비로소 유명인이 됐다. 남들은 스포트라이트 받던 무대에서 내려올 나이에 무대의 주인공이 된 것이다. 늦은 전성기라도 쉽게 끝나지는 않을 듯하다. 출연작은 꾸준히 늘고 있고, 그가 출연한 콘텐츠는 다양한 플랫폼을 통해 해외로까지 뻗어나가고 있다. 그를 광고 모델로 쓴 회사의 매출액도 쑥쑥 늘어나고 있다. TV, 영화, 드라마, 뮤지컬 출연 섭외도 이어지고 있고, 최근에는 공익광고의 모델로도 발탁되었다. 바야흐로 정 스타의 전성기다.

주식시장에 비교하자면, 그는 재평가된 가치주다. 20년 동안, 연예인이라면 응당 있을 법한 스캔들이나 사건 사고도 한번 없었던 걸 보니, 자기 관리에도 철저했다. 앞으로도 롱런(Long-run), 꾸준한 주가 상승이 기대된다.

현역으로 자신의 끼를 뽐내는 것도 좋지만, 이제 그의 나이도 마흔 후반, 후배 연기자들의 꿈을 돕는 매니지먼트사 대표이사로서의 역량을 발휘할 때다. 덕이 많으면, 주변에 사람이 모인다(德不孤必有隣). 정 대표의 주변인들은 하나같이 입에 침이 마르도록 그를 칭찬한다. 주거래은행 지점장님도, 세무사님도, 소속사 매니저님도, 우연히 대화를 나누었던 그의 운전기사까지도 그의 인성과 배려심을 추켜세웠다.

그는 법인기업의 대표다. 소속사가 따로 있기는 하지만, 그건 연예인으로서 작품 선택, 광고 계약, 스케줄 관리 등 도움을 받기 위해서다. 오랜 무명기를 믿고 기다려 준 소속사 대표와 직원들에 대한 고마움 때문이기도 하다. 회사와 계약된 비율대로 매월 수입을 정산하는 것으로 옛 신세를 갚고 있다. 그런데도 1인 기업의 연간 매출액은 이미 수십억 원대다.

데뷔 기회를 잡지 못하고 있는 무명의 연기자, 역량 있는 작가와 프로듀서들도 채용해 그들과 직접 드라마를 제작할 계획이다. 이전 소속사 배우와 가수들도 도움을 주기로 약속했다. 구매해 둔 각본과 시나리오도 여럿이니 내년이면 넷플릭스나 OTT 플랫폼에서 그와 소속 배우들이 함께 출연하는 콘텐츠도 만나볼 수 있을 것 같다.

정 대표는 그동안 번 돈 대부분을 사옥 신축 프로젝트와 경력 직원 채용에 쏟아부었다. 은행 대출금만 해도 수십억에 이르니,

부담감이 없다면 거짓말이다. 하지만, 갚아야 할 돈이 있어야 자만하거나 방심하지 않고 열심히 살아갈 수 있다는 그의 다짐에 마음이 놓인다. 오랜만에 건물 가치보다는 기업 가치 상승에 전념하는 스타 출신 CEO를 만난 것 같아 반갑다. 부디, 그가 혼자서만 빛나는 별이 되지 않겠다던 초심을 잃지 않고, 밤 출항을 떠나는 배를 오랫동안 비추어주는 등대 같은 존재가 되어주길 바라본다.

15. 투자에도 정석은 있다

윤 대표로부터 연락이 왔다. 드디어 투자받게 되었다는 소식이었다. 긴 장마와 무더위로 지쳐있던 중 오랜만에 들려온 반가운 뉴스다. 총액은 무려 150억 원이다. 부럽다는 생각이 들지 않았다면 거짓말이다. 그러나, 그간의 노력과 맘고생을 익히 알고 있기에 오래된 꿈에 한발 다가선 데 대한 진심 어린 축하의 메시지를 전할 수 있었다.

혹자는 150억 원이라는 숫자만을 보고, 시기와 질투의 마음을 가질지도 모른다. 솔직히 내가 제삼자라도 그럴 것 같다. 남의 떡이 커 보이고, 사촌이 땅을 사면 배가 아프기 마련이다. 실제 네이버 주식토론방을 들어가 보아도, 반응은 나의 예상과 크게 다르지 않다.

무슨 대단한 기술력이냐고, 자기가 보기엔 별것 아니라며 투자기업을 폄훼하느라 여념이 없다. 저마다 회사의 이번 투자 결정이 주가에 미칠 영향에만 관심이 있을 뿐이다. 의견들은 대부분 부정적이다.

이번 투자는 지분의 50% 이상을 인수함으로써 경영권을 획득한 전략적 인수합병이다. 신성장동력을 찾던 모기업이 심사숙고한 끝에 윤 대표 회사의 기술력과 성장성을 높게 산 것이다. 모기업은 지금까지 철강 제품생산을 주력 사업으로 영위했다. 이른바, 전통 산업, 굴뚝 산업이라 할 수 있다. 성장을 거듭한 끝에 코스닥기업이 되었으니 성공한 기업의 표본과도 같지만, 미래가 불투명했다.

수요가 꾸준한 철강 제품을 생산하는, 총자산 이천억 원, 연간 매출액 천오백억 원의 코스닥기업도 위기의식을 느끼는 게 실제 기업 현장이다. 투자는 오랜 고민과 검토 끝에 내린 심사숙고의 결과일 터다. 미래를 위한 선제적이고 과감한 결정이다. 웬만한 중견기업이라 해도, 여유자금으로 통장에 150억 원을 보유하고 있는 회사는 거의 없다. 모기업도 이번 투자금을 마련하기 위해 회사채를 발행했다. 이 정도면, 기업의 명운을 건 결정이다.

언론에 "몇백억 원 투자유치 성공, 그로 인해 돈방석에 앉은 CEO" 같은 자극적인 제목의 기사가 종종 나오다 보니, 투자라는 고도(高度)의 업무가 단순한 돈 넣고 돈 먹기, 흥밋거리 정도로 치부되는 경향이 있다. 그러나, 실제 투자의 세계는 생즉사(生卽死), 사즉생(死卽生)의 영역으로 보아야 한다.

특히나, 이번과 같이 재무적 투자가 아닌, 기업 간 전략적 투자의 경우는 더욱 그러하다. 재무적 투자자는 기술력, 사업 아이템의 성장 가능성을 보고, 초기 투자, 중기 투자, 장기 투자와 같이 시기별로 나누어 투자함으로써 투자 위험을 줄인다. 그리고, 다수의 투자자가 협의하는 과정을 거쳐 기술성, 사업성을 함께 검토하는 한편, 공동 투자로 초기 투자 부담감도 줄일 수 있다. 각종 옵션을 붙여 이게 진짜 투자인지, 아니면, 사채인지 헷갈리

게 하는 경우도 많다. 이해하기 어려운 상품도 계속 생겨나는 중이다. 스타트업 투자는 한번 잘못되면 건질 게 없으니 이해 못할 바는 아니다.

사실, 아무리 가까운 사이라도 돈 백만 원도 빌리기 어려운 것이 현실이다. 하물며 금전 차용증도 아니고, 돈을 다 날려도 투자받은 기업에 아무런 책임을 묻지 않는, 선량한 투자자에게 누가 돌을 던질 것인가. 초기 투자자를 천사(Angel)로 부르는 데는 다 그만한 이유가 있다.

반면, 전략적 투자는 지분율 50% 이상을 확보해 경영권을 인수하는 경우가 많으니, 투자 금액이 커진다. 생존과 성장을 위한 승부사적 의사결정이다. 업무협조를 위한 양해각서(MOU) 체결, 물건 납품을 위한 계약체결과는 차원이 다르다.

신중하되, 한번 결정을 내린 이상 **과감하게 상대방에게 베팅**해야 한다. **성공 여부는 불투명**하다. 앞날은 한 치 앞도 예측하기 어렵다. 두 기업의 임직원과 이해 관계자들의 생존에도 직접적인 영향을 미칠 수 있다. 투자란 그런 엄청난 의사결정이다.

모기업은 전통 제조업 사업모델로는 미래 수익성을 담보하기 어렵다고 보고, 3D 동영상 및 각종 디지털 전문기술을 보유한 윤 대표를 파트너로 선택했다. 제조 현장부터 제품 설계까지 인공지능을 활용한 3차원(3D) 도면을 활용해 생산 공정을 개선하고, AI와 메타버스를 활용해 새로운 산업으로 진출하는 일이 가능하다고 판단했기 때문이다.

중견 코스닥기업의 선택을 받은 윤 대표가 새삼 대단해 보인다. 수개월 동안 벤처투자사, 기업, 은행, 금융공기업 등은 예비투자자라는 명목하에 그를 희망 고문했다. 그런데도, 그는 수많은 외부인에게 늘 최선을 다해 회사를 홍보하고, 어떤 피드백과 조언을 듣더라도 기꺼이 수용했다. 이번 투자는 그런 과정에 따른 정당한 결과인 듯하여 다행스럽다. 서로가 원하던 파트너를 만나 함께 미래를 준비할 수 있게 되었다.

내가 투자의 세계에 관심을 가지게 된 건 사촌 동생이 운영하는 회사 **돌우물 때문**이다. 그전엔 난 그냥, 내 가족, 친구, 재테크 정도에만 관심을 두던 직장인에 불과했다. 돌우물이 아니었더라면, 윤 대표 회사에 관심을 둘 일도, 투자를 추천할 일도 없었을 것이다. 하는 일이 기업금융이다 보니, 기계적으로 기업 신용평가를 수행하며 살아왔다.

CEO의 기업설립 계기, 사업 아이템 선정 이유, 주주들의 투자배경, 초기 역경 극복 사례 등 기업 특유의 서사에 관심을 가지기보단 드러나는 숫자(재무제표, 매출액 등)에만 집중해 왔던 게 사실이다. 고백하건대, **반쪽짜리 금융인**에 불과했다.

그래도 최근 수년간은 CEO들의 가지각색 사연에 귀 기울이고, 더 나은 기업의 미래를 함께 고민하며, 관련분야 학위도 취득하는 등 조금은 각성한 금융인으로 거듭났다. 그러던 중 돌우물의

임 대표까지 만나게 된 것은 인생의 전환점이나 다름없었다.

그렇게 간접금융 시장, 즉 기업금융(대출) 업무 이외에 직접금융 시장, 즉 투자업무에 관심을 두게 되었다. 그때부터 투자를 전문으로 하는 회사 부서를 모니터 했다. 회사 밖에서도, 틈나는 대로, 벤처투자사 대표, 사모펀드 대표, 투자유치에 성공한 기업가들을 만나고 인터뷰했다.

결론적으로 **투자는 알다가도 모를 일이다.** 실제로, 내가 지금껏 과감하게 **투자한 벤처회사들도 사라졌거나, 힘겨운 시기를 보내고 있다.** 기대 이상의 실적으로 순항 중인 기업은 없다. 암 치료를 위한 신약을 개발 중인 바이오기업이 있어 부디 성공하라고 틈날 때마다 기도 중인 게 전부다.

더 많은 데이터가 쌓이면, **인공지능(AI)이 알고리즘으로 최고의 투자처를 지정해 줄지도 모를 일**이지만, 아직은, AI나 CHAT-GPT에 투자를 전적으로 위임하는 시대가 아니다. **주식의 종가(終價)를 예측해 주는 AI 기반 주식 플랫폼만** 믿었다가는 **낭패를** 본다.

내 눈에는 **별다른 장점이 없어 보이는데도, 수십억, 수백억의 기업 가치를 인정받아 투자받는 기업들도 부지기수다.** 바이오기업이야 아직 수익화되지 않은 초기 연구개발 투자비, 연구진의 역량과 스펙, 기술력, 특허권을 보유한 경우가 많으니, 매출액이 없고, 영업손실과 당기순손실이 크더라도, 미래 기업 가치 산출과 그에 따른 투자의 타당성은 인정될 수 있다.

그러나, 화려하게 포장된 사업계획, 지나치게 낙관적인 시장 전망, 실제보다 과장된 경영자의 역량과 스펙, 구태의연한 카르텔(학연/지연/혈연) 등 영향으로 엉뚱한 곳에 대규모 자금이 투입되는 경우도 많다. 조금 안 좋게 보면, 투자의 세계에는 정보의 불균형성(비대칭성)으로 인한 기회주의(한탕주의), 그리고, 도덕적 해이(Moral Hazard)도 남아 있는 듯하다. 실제, 창업 초기기업이 보유했다는 기술력, 대표를 비롯한 구성원들의 역량을 검증하기가 쉽지 않고, 최초 투자에 대한 실수를 인정하지 않으려는 심리가 발현되어 묻지 마 식 (후속) 투자로 이어지는 사례도 있다. 잘못하면, 호미로 막을 것을 가래로도 못 막는 일이 벌어진다.

워낙 다양한 분야의 기업들이 생겨나고, 성장했다가, 소멸하기를 반복하다 보니, 그중 옥석을 가리기가 쉽지 않다. 그러나, 기업의 운명(運命)을 운(運)에 맡길 수는 없는 일이다. 회사의 기술력, 사업 아이템의 성장 가능성이 충분한데도 제때 투자자가 나타나지 않는다는 이유로 기약 없이 허송세월 보낼 수는 없다.

물론, 기업이 제보다 제삿밥에 더 관심을 두어서는 안 된다. 기업은 새로운 부가가치를 창출하고, 소비자들에게 새로운 효용, 만족감을 제공하는 데 목적을 두어야 한다. 요즘도 간혹, 특별한 비즈니스 모델도, 자기 자본 투자도 없이 현란한 프레젠테이션(PPT)으로 투자자들을 현혹한 후, 급여와 복지로 투자금을 축내는, CEO라기보단 사기꾼에 가까운 사람들이 있다.

이런 소식이 매스컴을 타게 되면, 기업과 기업가에 대한 부정적인 인식만 퍼지고, 정작 투자가 절실한 전도유망한 기업마저 절호의 사업 기회를 놓칠 우려가 있다. **투자시장이 왜곡되면, 우리가 사는 사회도 활력을 잃고, 퇴보한다.**

본연의 사업에서 경쟁력을 갖춘 기업이어야 외부 투자자로부터 선택받을 확률이 높다. 눈먼 돈이 넝쿨째 들어오는 행운 같은 건 애당초 기대하지 않아야 한다. 기업 소개자료를 정기적으로 업데이트하는 일도, 원칙적으로 투자받기 위함이라기보다는, 회사의 어제와 오늘을 되돌아보고, 내일을 준비하는 과정으로 받아들여야 한다.

회사설립 초기 단기적 운영 자금은 납입 자본금, 그리고 CEO 개인 자금으로 최대한 조달해야 한다. 본인의 모든 것을 올-인(All-in)하지 않는 기업가에게 외부인 어느 누가 투자를 감행하겠는가. 설립 자본금, 정책금융을 다 투입한 후에도 사업이 정상궤도에 못 오르고, 자금이 부족하다면, 차라리 그즈음에서 사업을 중단하는 게 좋은 선택일지 모른다. 금전 피해를 최소화하고, 외부 이해 관계자들로부터 원성도 덜 들을 수 있기 때문이다.

한 기업이 설립된 후 5년 이상을 버틸 확률은 약 20%대, 그 와중에 미래 성장성을 인정받아 외부로부터 투자까지 받는 기업은 5%도 되지 않는다. 외부 투자금을 마중물 삼아 성장하고, 결과적으로 투자자에게 보상(기업 상장 또는 매각)까지 하게 되는 기업의 비중은 아무리 높게 잡아도 1%가 안 된다. 기본적으로 기업경영, 투자의 영역은 높은 실패 확률을 극복해 가는 과정이다. 조금 과장하면, 무(0)에서 유(1)를 창조하는 일이다.

윤 대표는 법인설립 후 불과 5년 만에 숱한 기술적 난관과 시행착오를 모두 극복하고, 킬러-아이템을 찾아내 다수의 거래처로부터 기술성, 사업성을 인정받아 외적인 성장을 거듭했다. 그리고, 마침내 최적의 전략적 파트너 겸 투자자를 만나 대도약의 전기를 마련했다. 자금난에 힘겨워할 무렵 기적이 일어났다. 두 회사의 성장과 번영을 기원한다. 기왕이면, 기술특례 기업으로 무난히 코스닥시장에도 상장하기를 바란다.

<본문 3> 6070 시니어 기업가 스토리

16. 시니어 기업가는 실패를 거부한다

서울 강서구에 있는 자동차 공업사에 방문했다. 우리가 흔히 볼 수 있고, 가끔 문제가 생기면 차량 수리도 맡기는, 그런 평범한 수리업체다. 다른 게 있다면, 외형 복원과 판금, 도장에 특화된 법인기업이라는 점, 그리고 대표이사가 70대에 접어든 시니어 창업가라는 점이다. 다행히, 함께 일하는 직원들의 실력이 좋고, 고등학교 실습생들이 힘을 보태고 있어 인력 운영이 효율적이다. 도장에 특화된 회사로 소문이 잘 나서, 일반인들 외에 고정 거래처도 꽤 확보하고 있어 매년 매출액이 꾸준히 상승 중이다.

문제는 탄소배출이다. 판금, 도장 과정에서 가열 과정이 필요하고, 이때 이산화탄소 배출량이 늘어나 공기 중에 그대로 배출된다. 그동안은 별문제 없었으나, 이제는 단속이 강화되는 추세다. 탄소배출이 없는 전기방식으로 도장 부스가 전면 교체되어야 하는 시점이 온 것이다. 명색이 차량 단속 전문 공무원 출신인 만큼, 더욱 선도적으로 대응해야 한다.

그렇다. 이 자동차 공업사의 김 대표는 공무원 출신이다. 계산을 해 보니, 20대 초반부터, 무려 40년에 가까운 시간이다. 그의 경력을 살펴보니, 차량 거래와 폐차, 경유 차량 단속 등 해당 업계 종사경력이 상당하다. 규제를 담당하던 베테랑 공무원의 처지가 바뀐 셈이다. 저간의 사정을 자세히는 모르지만, 일반적인 상황은 아니다. 제아무리 자신감 넘치는 사람이라도, 고위직을 역임한 공무원이라 하더라도, 정년퇴직 후 창업을 한다는 건 어려운 일이다. 노년을 황금기라고 부르는 건 다 이유가 있다. 행여라도 사업이 잘못되어 노년무전(老年無錢) 되면, 이보다 더 불행한 일은 없기 때문이다. 시니어 창업은 신중에 신중을 기해야 한다.

그가 퇴직 후 바로 법인설립을 한 건 아니었다. 처음엔 중고자동차 매매와 임대, 매매단지 관리 전문기업의 관리 이사로 영입됐다. 일종의 전관예우였다. 보통은 이런 상황을 그다지 좋게 보지 않는다. 감독기관의 일원이 피감기관의 고위직으로 자리를 옮겨 각종 이권에 개입하고, 비리도 덮어주며, 그 대가로 높은 연봉의 혜택을 받는, 범죄영화, 아니 저녁 9시 단골 뉴스 같은 이야기가 떠오르기 때문이다.

하지만, 내가 경험한 세상이 그렇게까지 엉망진창은 아니다. 사실, 공무원이 직접 이해관계가 있는 직종으로 이직하는 데는 많은 제약이 있다. 입법 보완과 꾸준한 단속, 관공서들의 자정도 작용했다. 판검사 출신이 대형 로펌으로 이직해서 흉악, 경제 범죄자들을 위해 변호를 하고, 형량을 줄이거나 무죄를 만들기 위해 현직에 있는 동료 판검사들에게 로비를 벌이는, 그런 특이사례를 이런 경우에 대입하는 건 무리다.

자동차 매매단지 내 입주회사들의 애로사항을 취합, 해결하고, 차량 폐차 및 수출입 업무를 관할하는 업무에 불법, 비리가 개입될 여지는 거의 없다. 그가 관리이사직을 마다할 이유는 없었다. 차라리, 그의 이력과 경력, 평판이 퇴직 후 이직으로 이어진 것이라고, 긍정적으로 보는 편이 낫다. **60세 정년 퇴직자는 아직 청춘이다.** 만혼 추세에 따라, 부양해야 할 자녀가 어린 경우도 많다. **정년퇴직이, 남은 인생을 아무것도 하지 않고 편히 쉬어야 할 때라고 이해하는 사람은 이제 없다.**

물론, 세상사가 그리 호락호락하지는 않다. 1~2년이 지나자, 회사는 그가 밥값을 못한다며 은근한 압박을 준 모양이다. 공무원으로서의 경력이 뛰어난 업무성과로 이어지는 시기가 영원할 순 없는 법. 이제 그도 자신이 떠날 때가 되었음을 본능적으로 알았으리라. **완전한 은퇴가 시기상조였던 그의 선택은, 창업이었다. 어느덧** 60대 중반에 이른 시니어 창업가 김 대표는 전기차 충전소 부지개발을 전문으로 하는 경영 컨설팅 법인을 차렸다. 하지만, 결과는 좋지 않았다. 그를 찾아오는 손님은 많지 않았고, 부동산 개발주선도 생각보다 어려웠다. 관공서를 상대로 개발 허가를 취득하는 것은 참 힘든 일이었다. 역시, **갑이 을 되는 일은 쉽지 않다.**

다행히, 회사의 자본금은 그대로였다. 결국, 차선책으로 그는 지금의 회사를 인수했다. 부족한 인수대금은 본인 소유부동산을 담보로 대출받아 조달했다. 이로써, 그는 어느 정도 사업 기반이

갖추어진, 어엿한 자동차 공업사의 CEO로 거듭났다.

그러나, 디지털과 인공지능의 시대, 챗 GPT의 시대를 맞이했어도, 정보의 비대칭성은 여전했다. 40년간 공무원 생활을 하던 시니어가 회사를 속속들이 분석한 후 적정한 대금을 지급하고, 기업을 인수하는 건 어려운 일이다. 사실, 회사는 적자 누적으로 거의 자본잠식 상태였다. 그랬다. 겉으론 아무 문제가 없어 보이지만, 재무적으로는 지급불능 직전 상태인 법인을 그는 무려 3억 원이라는 거금을 주고 인수한 것이다. 세상엔 물 반(정상인), 고기 반(사기꾼)이라더니 사실이었다. 회사를 매각한 이전 대표는 연락 두절이었다. 공무원, 교사, 교수 같은 먹물들은 세상 물정 잘 모르고, 순진해서 사기당하기 쉽다더니, 본인에게 이런 일이 생길 줄은 꿈에도 몰랐다.

다행히, 회사는 코로나 사태의 위기도, 저탄소 기술혁신에 대한 시대적 요구도 무난히 극복 중인 것으로 보인다. 그가 회사를 인수한 후 3년 동안 매출액도 꾸준히 오르고 있다. 성실한 직원들 덕에 사내 유보금도 쌓였고, 만일을 대비해 은행 마이너스 통장 대출도 받아두었기에 도장 부스의 전면적 교체와 시스템 업그레이드도 가능했다.

물론, 문제가 없는 건 아니다. 내부 경영관리 업무에 미숙했다. 세무 대리인에게 장부기장을 모두 맡기다 보니, 결산 재무제표도 실제 회사의 모습을 잘 반영하지 못한다. 이미 지급한 돈이 미지급금으로 계산되어 있고, 법인 대출금도 통째로 누락 되었다. 하지만, 꼬리가 몸통을 흔들 수는 없는 일. 금융기관 직원 덕분에 이 문제를 알게 된 후, 곧바로 세무 대리인을 교체했다. 다행히, 직원들이 자기 업무에 최선이다. 차량 수리와 성능개선, 판금과 도장 업무에 진심인 건 늘어난 고객 수와 매출액으로 증명된다. 이제, 김 대표는 직원의 처우 개선과 신규 인력 채용에 적극적이다. 직원에게 좋은 환경을 제공하고, 고객에게 최고의 서비스를 제공하는 일은 시니어 창업가 겸 사회 구성원인 김 대표가 이 세상에 이바지하는 최선의 길이기도 하다.

올해 그는 고희(古稀, 70세)를 맞았지만, 정정하다. 여전히 현역이기 때문이다. 매일 새로운 이벤트가 발생하고, 일일이 대응하느라 골치 아프긴 하지만, 은퇴한 동년배에 비해 그는 훨씬 젊고 건강하다. 예기치 못한 일들의 연속이지만, 극복할 수 있는 시련이라고 믿는다.

여전히 시니어 창업은 위험하다. 한 번 무너지면, 회복이 어렵기 때문이다. 하지만, 예외 없는 규칙은 없다. 정년퇴직 후에도 10년의 경험치를 더 쌓은 베테랑 기업가에게 터무니없는 실패는 없다. 그동안 살아오면서 체득한 숱한 경험, 네트워크, 통찰력이 빛을 발하기 때문이다.

100세 시대다. 정년퇴직 후 수십 년을 복지 혜택만 누리며 사는 것이 과연 얼마나 유효할지도 잘 모르겠다. 100세 시대라는 말이 은퇴 후 아무 일도 하지 말고 쥐 죽은 듯이 살라는 의미는 아닐 거다. 그를 아끼는 주변 사람들은 십중팔구 그의 창업을 말렸지만, 이제는 모두가 그를 부러워한다. 부가세, 소득세, 4대 보험료가 작년 대비 많이 오른 것 같다며 한숨지으면서도 납부기일을 지키기 위해 고군분투하는, 여전히 공무원처럼 성실한 시니어 창업가를 응원한다.

17. 시니어, 창업이 미래다

우리는 모두 타인과 관계를 맺으며 살아간다. 그러나, 칠십억 명 모두 각자의 스타일이 있기에 다른 이를 온전히 이해하는 건 불가능한 일인지 모른다. 그래도 어울림은 필요하기에 인생은 오해를 이해로 바꾸는 과정이라고도 한다. 나와 부대끼며 살아가는 주변인들에게는 최대한 이해를 구하며 사는 게 낫다. 그러나, 나와 별다른 관계없는 외부인들에게조차 억지스레 에너지를 쏟으며 오해를 풀 필요는 없다. 오해는 또 다른 오해를 낳을 뿐이다.

해가 뉘엿뉘엿 지고 어둠이 찾아오는 저녁 시간에는, 저 멀리서 다가오는 실루엣이 나를 공격하려고 오는 늑대인지, 내가 기르는 개인지 분간이 어렵다. 이렇듯, 그림자가 질 때 상대방이 나의 적인지 동지인지 구분하기 어려운 상황을 두고, 개와 늑대의 시간이라는 표현을 쓴다. 어원은 프랑스어인 <L’heure entre chien et loup>이다. 해가 지고, 밤이 찾아오는 무렵을 황혼(黃昏)이라고 한다. 사람의 생애도 전성기, 성숙기를 지나가면 황혼기라고 하는데, 이는 생의 희로애락을 겪으며 나이 든 사람이 과연 나에게 좋은 사람인지, 그렇지 않은지 쉽게 판단하기 어렵다는 의미이기도 하다. 해 질 녘에는 모든 선도, 악도 그저 붉은빛일 뿐이다.

시니어 창업가 차 대표도 황혼기를 보내는 중이다. 그는 화학 원료와 제품을 만드는 우리나라 최고의 대기업에서 30년간 근무했다. 50대 후반 부서장으로 명예퇴직한 후에는, 1차 협력사에서 임원(부사장)을 역임했고, 나이 60에 1인 법인을 창업한 시니어 창업가다. 경력과 전문성을 인정받은 그는, 사업 초기 모기업으로부터 합성수지 원료를 무난하게 구매할 수 있었다. 그는 자신의 전문 분야인 폴리에틸렌(합성수지) 도매업을 주력사업으로 영위 중이다. 폴리에틸렌은 필름, 생활용품, 포장재 등 각종 화학제품의 소재로 사용되고 있어 상품 종류가 다양하고, 고객군도 넓다. 차 대표는 대기업에 근무할 당시 기술 영업을 오래 담당한지라, 인맥이 넓었고, 화학공학을 전공해 해당 분야에 대한 지식도 풍부했다. 그래서, 법인설립 초기 고객 확보에 큰 어려움이 없었고, 창업 첫해에 10억 원, 이듬해에 40억 원 이상의 매출액을 달성할 수 있었다.

최근에는 모기업(대기업)과의 긴밀한 협조하에 이차 전지 관련 제품 개발도 병행 중이다. 해당 품목이 매출로 이어지려면 아무래도 시간이 좀 걸릴 듯하니, 올해는 주력 품목인 기능성 소재 위주로 영업을 확대할 계획이다. 그런데, 모기업으로부터 다른 원료를 구매하려면 상거래 여신 한도를 증액해야 한다. 대기업은 손해 보는 장사를 안 한다. 상대방이 전임 부서장이라고 해도 예외는 없다. 신용거래라는 멋진 표현은, 그저 교과서에나 나오는 말의 향연에 불과하다. 현실에서는 구매량에 걸맞은 담보를 제공해야 한다.

법인설립 당시 부동산은 이미 담보로 제공했으니, 이제 남은 방법은 보증기관에서 상거래 담보 보증서를 제공받는 것뿐이었다. 그런데, 올해 매출이 전년 대비 30% 이상 하락한 게 문제였다. 본인은 올해 하반기부터 거래처도 늘고, 매출액도 올릴 자신이 있다지만, 요즘 같은 불경기에 쉽지 않은 일이다. 더구나, 그에게는 매출 확대를 위한 영업 인력 채용계획도 없었다. 본인이 ERP(전사적 자원관리_Enterprise Resource Planning) 시스템 사용에 능해 혼자서 생산, 물류, 재무, 회계, 구매, 재고 등 경영 활동 전반의 프로세스를 관리할 수 있기 때문이다.

어쨌든, 그가 효율성에 최적화된 기업가라는 점은 확인됐다. 명색이 대기업 임원 출신인데도, 번듯한 사무실은커녕, 공유오피스를 재임대해 사용 중이다. 노트북 하나, 나 홀로 영업이면 충분한데, 허튼 데 돈 쓸 필요 없다는 생각이다. 이제 그가 할 일은 매출 회복 계획이 가능한 목표임을 증명하는 일이다. 하긴, 그의 계획만 믿고 담보를 제공했다가, 계획대로 매출이 늘어나지 않으면, 매입대금 결제의 책임은 온전히 보증기관에 이전되기에 신중한 검토는 이해하지 못할 일도 아니다.

평생 남에게 아쉬운 소리 하지 않고 살아왔던 그이기에, 담보 제공 거절 통지는 받아들이기 힘든 수치였다. 그간 살아온 인생이 송두리째 부정당하는 기분이었다. 시니어 창업가의 새로운 도전을 응원해 주기는커녕, 방해하려고만 드는 공공기관이라니, 그는 청와대 민원을 넣어서라도 앙갚음해야겠다는 심정이었다. 그러나, 시간을 두고 생각해 보니, 고집을 부리거나 싸운다고 해결될 일은 없었다. 자존심은 내려놓고, 상대방을 설득할 방법을 찾아야 했다. 모름지기 사업은 협상과 설득의 과정이다.

그는 두 걸음 전진을 위해 한걸음 후퇴했다. 그로부터 한달 간 차 대표는 신규 거래처 몇 군데를 확보했고, 매출 세금계산서도 적잖이 발행했다. 가격과 품질 경쟁력이 있는 폴리에틸렌 생산 공장을 수소문해, 거래처가 필요로 하는 제품을 제때 공급해 준 결과였다. 그의 오랜 업력과 몸에 밴 추진력이 빛을 발한 것이다. 거래처 증가와 매출액 변동추이, 향후 사업추진 계획을 PPT로 작성해 담당자에게 제출했다. 이번엔 보증 승인 결정이 났다. 이제 부담 없이 제품을 확보할 수 있게 됐다. 더 이상 공공기관 직원과 티격태격, 감정싸움을 하지 않게 된 점도 다행이다. 어제의 적이 오늘의 동지, 아니 나를 위해 무려 수억 원의 담보를 제공해 주는 보증인이 되다니, 정말이지 인생은 알 수 없다.

30년 직장생활 최종 결과치인 서울 마포구의 아파트 1채는 차 대표의 모든 재산이지만, 이제 구매처에 담보로 제공했으니, 한편으로는 그의 것이 아니기도 하다. 실은, 아이 둘을 잘 키워 주고, 성격 급한 남편이랑 수십 년 살아준 데 대한 보답으로 아내 명의로 산 집인데, 면목이 없다. 그가 은퇴하지 못하고, 창업한 데는 이유가 있다. 그는 아직 취업 준비 중인 대학 졸업생을 포함한 두 자녀의 가장이다. 이미 회갑이지만, 여전히 경제적 부양의 책임감이 크다. 그에게 은퇴는 시기상조였다. 창업 후 실패도 상상 불가한 일이다. 차 대표는 악착같이 버텨 10년 이상 사업소득을 창출해야 하는, 사실상의 생계형 창업가인 셈이다. 그에게 1인 기업, ERP 시스템 구축은 선택이 아닌 필수였다.

인구 고령화와 소득 불평등이 날로 강화되는 추세다. 인구 고령화는 노동생산성 저하, 노령인구 부양 부담 등을 통해 장기적으로 성장을 저해하는 요인으로 작용하고 있다. 인구구조 변화는 우리 가계의 소득 불평등에도 영향을 미친다. 우리나라는 2000년 기준 65세 이상 인구 비중이 7%를 넘어 고령화사회에 진입했다. 2018년 고령사회에 진입했고(14%), 2025년이면 초고령 사회로 들어설 전망이다(20%). OECD 회원국들과 비교해도 고령화 속도가 빠르다. 1990년 이후 소득불평등도 증가세인데, 특히 60대 이상 고령층 내 가구 간 소득양극화가 다른 연령층에 비해 현저히 높은 수준이다.

출산율은 1990년 1.57명에서 2022년 0.78명으로 급격히 떨어진 반면, 의료기술의 발달로 기대수명은 1990년 71.7세에서 2022년 84.1세로 크게 증가했다. 그런데, 통계청의 가계 동향 조사에 따르면, 60대 이상 고령층의 소득 지니계수는 가파르게 상승 중인 것으로 나타난다. 고령층 내 소득 불평등은 은퇴에 따른 근로소득, 사업소득 격차 확대에 기인한다.

그러나, 고령층의 창업은 무수익, 영세업자 비중이 크고, 창업 대비 폐업률도 여타 연령층 대비 높은 수준이다. 2010년 이후 청년층 취업난 등으로 부모로부터 자녀에 대한 지원(사적 이전 지출)이 점차 늘어나는 추세인 것도 문제다. 고령층의 노동시장 참여 활성화는 더 이상 미루기 힘든 과제다. 정부와 공공부문은 재교육 프로그램 및 일자리 연계 인프라 확충 등 제도적 지원을 강화해야 한다.

기초노령연금 30만 원 지급보다는 정책자금 대출 이자 보전이 생산적 복지에 더욱 부합한다. 그는 이제 직원 1인당 연간 매출액이 50억 이상인 고효율 스타트업의 CEO 겸 영업부장 겸 기술부장 겸 한 집안의 가장이다. 일당백인 그를 응원하지 않을 이유는 없다.

인생 황혼기를 맞이한 사람이 선인인지, 악인인지 구별하는 일은 어렵다. 그러나, 그가 퇴직 후 창업한 시니어 기업가라면, 행여 고집과 불통이 있더라도, 품 넓게 이해해야 한다. 고령화 시대, 시니어 기업가는 우리의 미래다.

18. 기업승계는 새로운 시작이다

재산이 너무 많아도 문제다. 세금은 죽어서도 따라다니기 때문이다. 삼성의 이건희 회장이 타계한 후, 이재용 부회장을 비롯한 일가에게 부과된 상속세는 무려 12조 원대다. 이건희 회장이 쉽게 눈을 감지 못한 이유 중 하나는 아마 세금 걱정 때문 아니었을까. 우리나라 최대 재벌인 삼성의 상속세 문제를, 나 같은 소시민이 걱정하는 건 지나친 오지랖이다. 내로라하는 전문가들이 알아서 잘 처리할 것이기 때문이다. 그래도, 삼성과 같은 대기업이 국가 경제에서 차지하는 비중을 생각하면, 기업승계가 기업의 지속성과 경제에 미치는 영향 정도는 생각해 봄 직하다.

일반적으로, 기업인들은 세금에 치여 사업 못하겠다는 말을 입버릇처럼 달고 다닌다. 엄살도 있겠지만, 통계자료를 보면 꼭 근거 없는 푸념만은 아니다. 한국경제연구원이 발표한 '현행 기업승계 상속세제의 문제점 및 개선 방향' 보고서에 따르면, 우리나라는 GDP 대비 상속·증여 세수 비중이 2021년 기준 OECD 회원국 중 프랑스, 벨기에와 함께 공동 1위다. 직계비속에 대한 기업승계 관련 상속세 최고세율(50%)은 OECD 회원국 중 일본(55%)에 이어 2위이지만, 대주주로부터 주식을 상속받을 경우, 주식평가액에 할증(20% 가산)이 적용되기 때문에, 가장 높은 수준이 된다. 경영권 프리미엄이 추가로 붙는 개념이다.

어쨌든, 상속세는 기업의 실체는 변동이 없는데, 피상속인의 재산이 상속인에게 무상으로 이전되는 과정에서 발생하는 세금이니만큼, 기업승계 시 장애물로 작용하는 건 분명하다. 현실적으로, 갑작스레 상속세를 납부하기 위해서는 납부 유예 및 연납제도를 활용해야 함은 물론이고, 상속인이 보유 중인 주식 지분을 매각하거나 대출을 받는 등 다양한 방법을 동원해야 한다. 상속세를 내기 위해 주식을 매각해야 한다는 것은 아이러니한 일이다. 경영권 승계와 방어가 어려워질 수 있기 때문이다. 꼬리가 몸통을 흔드는 격이다.

기업승계는 과연 부의 대물림인가, 아니면, 기업의 존속과 성장, 일자리 창출을 통해 경제성장에 이바지하는 정당한 수단인가. 이는 시민의 수준(民度), 위정자(爲政者)들의 가치관, 정부 성향이 한데 어우러진 후 법과 제도(세제)로 결정될 것이다.

기업의 논리는 이러하다. 우리나라는 글로벌 경쟁에서 기업이 생존하고 발전해야만 일자리와 소득 창출이 가능하다. 그런데, 현재 최대 60%에 달하는 상속세율과 실효성 없는 가업상속공제라는 징벌적인 상속 세제 하에서는 사실상 대부분의 기업승계가 불가능하다는 주장이다. 실제, 우리나라의 가업상속공제제도는 2016~2021년 연평균 이용 건수가 95.7건, 총 공제금액 2천967억원으로 저조한 상황이다. 이는, 가업상속공제의 적용 대상, 대표자의 경영 기간, 업종 유지 의무, 자산 유지 등 요건이 까다로워 활용하려는 기업인이 적고, 실제 공제금액도 적기 때문이다. 그에 반해, 가업상속 공제제도가 활성화된 독일은 연평균 1만 308

건, 공제금액 163억 유로(한화 약 23조 8천억 원) 규모다. 우리나라의 가업상속공제 적용 건수는 독일의 100분의 1 수준이다.

기업인들의 주장이 통했는지, 2022년 세법 개정 시 사전, 사후 요건은 완화됐고, 적용 대상도 중견기업으로 확대됐다. 물론, 대기업이 적용 배제되었다는 측면에서, 논란은 여전하다. 대기업까지 상속세를 대폭 할인하는 데 대한 반대 정서, 세수 감소로 인한 국가의 세제 운영상의 어려움 등이 반영된 결과다.

권 대표는 70세가 넘었다. 40년 이상 회사를 운영 중인 명실상부 베테랑 경영인이다. 그는 우리나라 최초의 펌프 제조기업인 한일전기에 취업해 몇 년간 다니다가 독립했다. 역사와 전통을 자랑하는 자동 펌프는 여전히 생산되고 있다. 하지만, 세상이 변한 탓에 판매는 저조하다. 대신, 선풍기, 스토브, 레이진-후드, 난로 등 관련 전기제품으로 제품 포트폴리오가 확대되었다. 회사 매출액과 자산규모가 크게 늘지는 않지만, 현장 곳곳에서 한일 제품은 꾸준히 팔린다.

그는 1970년대 후반에 창업했다. 처음에는 개인사업자로 개업했다가, 1990년대 초반 법인으로 전환해 지금에 이르고 있다. 모기업에서 전기모터와 산업용 펌프 등 전기용 기계와 장비를 매입해, 이를 쿠팡, 네이버 등 오픈마켓을 통해 일반 소비자들에게 판매하거나, 전국 대리점에 납품한다. 경기 영향을 안 받는다고는 할 수는 없지만, 그래도 거래처와 매출은 꾸준한 편이다. 김

포에 사무실과 창고를 갖추고, 30년간 한 곳에서만 사업하다 보니, 김포의 터줏대감 소리도 듣는다.

수십 년간 주변에 수많은 기업이 생겨났고, 또 사라졌다. 김포평야라는 단어가 무색하리만큼, 이제 회사 주변은 아파트촌, 상업지구로 변모 중이다. 그야말로, 뽕밭이 바다가 되어가고 있다(桑田碧海). 10년을 버티기도 힘든데, 갖은 어려움을 겪으면서도 무려 40년을 살아남았으니, 어찌 보면 천운(天運)이다. 모든 것이 딱딱 맞아떨어진 탓이다. 모기업의 지원, 권 대표의 영업력, 직원들의 역량, 꾸준한 제품 수요, 판매처들의 결제 능력, 금융기관의 도움, 배우자와 자녀의 경영지원까지. 반백 년 장수 기업이 창업가의 의지만으로 완성되지는 않는다.

물론, 위기는 늘 함께였다. 회사는 석유 파동을 위시한 에너지 위기, IMF 경제위기, 국제금융 위기, 코로나 위기 등 커다란 대외적 위기 상황을 모두 이겨냈다. 그 과정에서 당좌수표와 약속어음이 부도날 뻔한 적도 여러 차례다. 그는 금전적으로 어려웠던 시기를 잊지 않기 위해, 아직도 당좌거래를 한다. 자금관리가 얼마나 중요한지를 직원들에게 몸소 체험시키기 위함이다. 그러다 보니, 권 대표의 아들도 자금 문제에 늘 민감하다. 아들은 미국에서 학위를 마치고, 3년 전 귀국하여 아버지의 가업을 이어받는 중이다. 그의 나이 30대 후반, 세상 공부도 할 만큼 했고, 아버지 밑에서 수업받은 지도 꽤 시간이 흘렀으니, 회사 경영에 대해서 어느 정도는 감을 잡았다.

이곳이야말로, 기업승계가 한창 진행 중인 산업 현장이다. 원래, 권 대표 아들의 눈은 미국의 실리콘밸리를 향해 있었다. 미국에서 MBA 학위까지 취득한 전도유망한 청년 유학생이, 한국의 중소기업으로 돌아오기까지 숱한 고민의 시간이 있었으리라. 부자간의 갈등, 화해, 그리고 의기투합에 이르기까지, 그들의 사연을 일일이 알 수는 없다. 어찌 됐든, 아들은 아버지의 가업을 잇기 위해 한국으로 돌아왔다. 그는 변화와 혁신이 필요한 전통의 유통기업 직원으로 경영수업 중이다. 말이 좋아 경영수업이지, 미국 MBA 과정에서 분석한 실리콘밸리 기업 성공 사례와는 거리가 먼, 체험 삶의 현장이다. 임원이라고 해봐야, 직원 수 수십 명의 중소기업 일개 직원일 뿐이다.

부자(父子)는 기업경영을 통해 부자(富者)가 되지는 못했지만, 40년간 살아남아 매년 수십 명의 고용을 창출하고, 경제적 부가가치를 창출해 온 대한민국 산업화의 산증인이다. 시대와 세대를 뛰어넘어 100년 장수 기업으로 거듭나는 것이 아버지의 소망(所望)이자 아들의 소명(召命)이다. 아들은 사업을 재편하고, 규모를 성장시킴과 동시에 본인의 지분율도 높여야 하는 과제를 안고 있다. 기업승계는 안정적 주식 지분으로 완성되기 때문이다.

해결할 일이 한두 개가 아니다. 얼마 전에는 사업장 토지와 건물이 정부에 수용(收用)되는 일도 있었다. 보상금 협의도 하고, 새로운 곳으로 이사할 준비도 해야 한다. 뻔한 얘기지만, 토지 수용 금액은 시세보다 낮다. 30년 된 법인의 주소지를 강제로 옮기는 것도 속상한데, 보상받을 금액마저 기대 이하이니, 억울한 일이다. 여차하면, 정부를 상대로 소송도 진행해야 한다.

무엇보다, 기존의 주력 상품이던 산업용 펌프의 수요가 줄어드는 점을 고려해 다양한 전기제품의 거래를 중개하는 온라인 플랫폼 전문기업으로의 변신을 꾀해야 한다. 새 술은 새 부대에 담아야 한다. 사무실 벽면을 가득 채운 화이트보드, 매입-매출처와 주고받은 수많은 종이 주문서, 명세서, 면장, 심지어 종이 세금계산서까지, 구태의연한 사무실과도 조금씩 멀어져야 한다.

세대교체는 불가피하다. 권 대표도 자신이 물러날 때임을 안다. 본인은 아직 건강하다고, 십 년은 더 사무실에 나와 현장을 진두지휘할 체력이 있다고 너스레를 떨지만, 실제로는 하루하루가 버겁다. 품위 있게 물러나기를 바랄 뿐이다. 그래도, 믿고 맡길 아들이 있어서 얼마나 다행인지 모른다. 권 대표는 6.25 전후 태어난 베이비붐 초기 세대다. 매년 70~80만 명씩 65세 노인이 되는데, 이 연령층에 특히 중소기업 CEO들이 많다. 이미 70세가 넘은 중소기업 CEO가 2만 명을 넘는다. 권 대표도 그중 하나다. 다른 회사들처럼, 기업승계는 발등에 떨어진 불이 되었다.

이런 사정을 지켜보자니, 기업승계는 부의 대물림이라기보다는, 기업경영의 책임을 물려주는 것이라는 생각이다. 중소기업의 경우는 더욱 그렇다. 부의 대물림은 부동산이나 많은 현금을 물려주는 것이지, 처분이 힘든 중소기업의 주식을 물려주는 건 실익이 크지 않다. 볼품없는 현장에서 골치 아픈 제조업을 하려는 중소기업 경영 2세는 많지 않다. 힘만 들고, 폼이 안 나기 때문이다. 기왕이면, 회사를 팔아 빌딩이나 현금으로 물려달라고 요구하는 게 훨씬 나아 보인다. 괜한 사명감에 공장 물려받아 산업재해, 노사 갈등, 거래처 관리, 매입채무, 매출채권 걱정으로 잘못 들다가는, 건강도 재산도 모두 잃을 수 있다.

그러나, 사회가 발전하고, 경제가 성장하려면 기업이 활성화되어야 한다. 창업, 인수, 승계 등 그 방법은 중요치 않다. 건물임대인 2세가 늘어나는 건 거시적 차원에서 도움이 안 된다. 회사가 매각되거나 폐업하면, 수십 년간 쌓아 온 기술력과 경영 노하우 등 유무형의 자산은 고스란히 사장(死藏)된다. 기업이 오래 지속되고, 매출액과 자산이 늘어나야 일자리 창출과 세금 납부가 커진다. 강소기업, 장수 기업이 많아져야 대기업, 중소기업 간 임금 격차와 빈부 격차가 줄고, 국민경제가 더 튼튼해진다.

우리나라의 중소기업은 소유권과 경영권이 대표 1인에게 집중된 경우가 많다. 갑작스레, 대표자의 신변에 문제가 생기면, 기업운영이 위험에 빠지기 쉬운 구조다. 따라서, 기업승계가 원활하게 이루어질 필요가 있다. 최근 들어 상속세·증여세 납부 유예, 증여세 과세 특례 한도 확대 등 기업승계 정책이 활성화되고 있다는 점은 주목할 만하다.

물론, 규제를 다 풀 수는 없다. 기업인들은 경영 자율성 발휘를 위해 규제를 더 과감하게 해제해야 한다고 주장하지만, 모든 정책에는 명(明)과 암(暗)이 있다. 득을 보는 쪽이 있으면, 손해를 입는 상대방이 생긴다. 감세(減稅)가 능사는 아닐 것이다. 기업가들도 자발적인 노력을 강화해야 한다. 자금 사용처가 불분명한 가지급금을 줄여 자금 집행의 투명성을 높여야 한다. 차명주식이 있다면, 하루속히 환원해야 한다. 주주 배당 확대, 자사주 매입 등의 방법으로 미처분이익잉여금도 줄여야 한다. 과도한 미처분이익잉여금은 기업의 순자산가치와 비상장 주식의 가치를 높여, 양도, 상속, 증여 등 지분 이동 발생 시 큰 세금 추징으로 이어질 수 있다.

체계적인 계획하에 기업승계가 이루어진다면, 원치 않는 헐값 매각이나 폐업, 부도(회생절차) 등을 피할 수 있다. 기업인은 세무 전문가의 도움으로 상속세의 부담감을 낮추고, 오로지 기업경영에 집중할 수 있어야 한다. 그와 동시에, 2세 경영자가 엉뚱한 방법으로 딴 주머니 차는 일도 막아야 한다. 기업승계는 오래된 관습과의 이별이자, 새로운 시대의 시작을 의미한다.

19. 너무 늦은 시작이란 없다

늦었다는 말은 해석할 여지가 많다. 우선, 말하는 이와 듣는 이 모두를 안심시키는 말이다. 늦었다고 말하고도 위로받을 수 있는 건, 우리의 실천 의지가 생각보다 약하기 때문이다. 반면, 가능성을 닫는 표현이기도 하다. 어떤 일을 시도하기도 전에 실패가 두렵거나, 경제적 손실이 부담되는 경우, 때가 지나 어찌할 도리가 없다는 말로, 무위(無爲) 또는 부작위(不作爲)를 정당화할 수 있다.

이런 본성은 확증 편향(確證偏向)이라는 용어로도 설명된다. 확증 편향은 기존에 형성된 사고나 가치, 신념에 일치하는 정보들만 받아들이려고 하는 경향을 뜻한다. 자기 생각과 현재 상황이 배치되어 내적인 갈등이 일어나는 경우, 사람들은 자기 생각을 바꾸는 대신 기존의 생각을 유지한 채 자신에게 유리하게 정보를 취사선택하는 태도를 보인다는 거다. 이런 태도는 오랜 시간 축적된 데이터를 활용해 위험 요소를 차단하고자 하는 인간의 생존전략 혹은 자존감을 유지하기 위한 노력이라고 볼 수도 있다.

그러니, 우리가 일상생활에서 자주 사용하는 너무 늦었다는 말은, 지극히 인간적이고, 주변으로부터 공감을 불러일으키기에 좋은 표현이기도 하다. 하긴, 힘겨워 보이는 일에 온 힘 다 썼는데 생각대로 되지 않으면, 체면도 구기고, 주변에도 민폐니, 확실치 않으면 애당초 시작조차 안 하는 것이 제 맘도 편하고, 주위로부터 욕도 안 먹는 방법이다.

특히, 투자타이밍이 잘못됐다고 판단하는 경우 때늦은 시작이라며 자책하는 일이 많다. 시작과 동시에 손실을 실시간으로 목격하기 때문이다. 2022년 한 해 동안 우리나라 주식시장(코스피) 상장 기업들의 시가총액은 370조 원 넘게 증발했고, 코스닥시장 등록 기업의 시총도 120조 원 넘게 쪼그라들었다. 글로벌 경기침체와 고금리 기조 등으로 기업 실적이 나빠지고, 유동성이 줄어들었기 때문이다.

설상가상 2022년 부동산시장에도 한파가 몰아닥쳤다. 2021년까지만 해도 0.5%였던 기준금리는 2022년 3.5%까지 급등해 주택 수요자들이 매매시장에 발길을 끊었고, 부동산 거래절벽과 수도권 집값 반토막 뉴스가 오랜 시간 계속됐다. 수억 원씩 무리하게 대출받아 꼭지 가격에 집을 마련했다고 생각하는 수많은 영끌족의 시름은 현재까지도 이어지고 있다.

디지털 금이라 불리는 비트코인의 가격도 2022년 한 해 동안 8천만 원대에서 2천만 원대로 수직 낙하했다. 미국을 비롯한 전 세계적 고금리의 여파, 대규모 코인 거래소의 파산, 그리고 가상화폐의 내재가치에 대한 부정적 의견이 지속됐기 때문이다.

자본주의는 태생적으로 호황과 불황을 반복하지만, 그 사이클을 예측하는 것은 쉽지 않다. 모든 분석은 사후약방문(死後藥方文)일 뿐이다. 제아무리 뛰어난 경제학자, 미래학자라 하더라도 내일의 주가지수, 환율, 코인 가격을 맞히지 못한다. 따라서, 2022년 자산시장 대 하락에 투자한 경우라도, 최종 실패로 결론 내리는 건 때 이르다.

두려움을 내포하지 않은 성공은 없다. 대부분 사람이 공포심을 느끼고, 늦었다고 생각할 때도 누군가는 위험 속으로 뛰어들어 남보다 큰 과실을 얻는다. 물론, 근거와 논리가 아닌 감각과 소문에만 의지하다가는, 행여 자본 소득이 늘어난다 해도, 그건 어디까지나 초심자의 행운일 뿐이다. 아직 성공하지 못했다면, 초심자의 행운이 찾아오기만을 바라고, 다른 탓 못할 만큼 충분한 시간과 에너지를 목표 달성에 쏟아붓지 않았기 때문일 확률이 높다. 1만 시간의 법칙이라는 말도 있듯이, 꾸준한 시도 없이 미리 포기하는 건 섣부르다. 기업의 실적과 시장 변동성, 환율과 금리를 정확히 맞추지는 못하더라도, 추세와 방향은 예측할 수 있다. 오마하의 현인, 투자의 귀재, 가치투자의 달인, 주식 농부와 같은 영광의 타이틀은 오랜 자기 주도 학습과 시간 투자에 대한 화답이다.

늦은 시작이라 해도, 반전은 늘 존재한다. 2023년이 저물어가는 지금, 투자시장을 보아도 그러하다. 기준금리 인상 기조의 중단과 경기(기업 실적) 개선에 대한 기대치로 올해 최저점 대비 코스피 지수는 20% 이상 상승했다. 부동산시장과 건설 경기도

(물론, 지역/시기에 따른 편차는 있지만) 기지개를 켜는 모양새다. 비트코인도 2024년 현물 ETF 상품 승인에 대한 기대감과 반감기 도래에 따른 투자심리 강화로 올해 들어 가격이 100% 이상 올랐다. 과도한 불안함에 시작조차 안 하는 건 스스로 기회를 차단하는 일이다.

인생도 마찬가지다. 제 나이에 어울리는 순리와 정답이 있어 보이지만, 그건 우리가 만들어 낸 확증 편향일 뿐이다. 학생이니까 공부해라, 졸업했으니 취업하고 결혼해라, 입사했으니 끝까지 다니다 정년퇴직하라는 건, 삶의 새로운 가능성을 제한하는 말이기도 하다.

10대 작곡가, 30대 정치인, 50대 대학생, 70대 창업가가 계속 나와야 고정관념과 무사 안일주의가 줄고, 새로운 도전이 우대받아 결국 사회가 진보한다. 국민연금의 고갈로 나이 70이 되어도 내가 낸 연금을 돌려받을 수 있을지 불분명한 시대다. 사람의 수명이 길어졌다는 말이지만, 이제 70세는 은퇴자가 아닌 현역이어야 한다는 뜻이기도 하다. 건강한 노년 증가에 따른 초 고령사회의 도래는, 어떻게 받아들이고 준비하느냐에 따라, 재앙이 아닌 축복이 될 수도 있다. 건강하게 오래 살며, 일도 계속할 수 있다면 그까짓 기초연금 30만 원쯤이야 안 받아도 그만이다.

밀크셰이크 기계 영업사원이던 레이 크록은 그의 나이 52세이던 1954년, 영업을 위해 맥도널드 형제가 운영하던 가게를 방문한 후, 매장 운영 방식에서 영감을 받아 전국적인 프랜차이즈 사업을 구상했다. 그는 맥도널드 형제를 설득해 프랜차이즈 사업 경영권을 따낸 후, 50대 중반에 첫 번째 정식 맥도널드 프랜차이즈 매장을 열었고, 알다시피 이때부터 맥도널드 신화가 시작됐다.

소설가 박완서는 요즘 사람의 나이는 자기 나이에 0.7을 곱해야 생물학적, 정신적, 사회적 나이가 된다고 했다. 바야흐로, 나이 곱하기 0.7이 점점 정설이 되어가는 시대다. 이 식으로 역산해 보면, 오늘날 기준 레이 크록은 70대 중반의 시니어 창업가인 셈이다. 일개 영업사원에 불과하던 그가 매장 인수대금에 경영권 프리미엄까지 더한 자금을 지급하고 프랜차이즈 사업을 시작한 건, 여느 현실주의자가 보기엔 인생 느지막이 모든 것을 건 무모한 도전일지도 모른다.

물론, 레이 크록의 성공 신화를 시니어 창업의 정석으로 일반화하기는 어렵다. 어느 정도냐면, 미국 잡지사 에스콰이어(Esquire)는 콜럼버스는 미국을 발견했고, 제퍼슨은 미국을 건국했고, 레이 크록은 미국을 맥도널드 화(化)했다는 평가를 실었을 정도다. 포춘(Fortune) 잡지도 레이 크록을 20세기 가장 중요한 100명의 미국인 가운데 한 명으로 선정했다. 따라서, 그를 본보기 삼아 별다른 준비도 없이 나이 70에 호기롭게 퇴직금까지 털어 창업한다면, 인생에서 가장 위험하다는 노년무전(老年無錢)에 처할 가능성이 크다.

최근에 만난 CEO 김 대표와 이 대표는 모두 1950년대 초반생이다. 70대에 접어들었으니, 영락없는 시니어 창업가다. 서로 일면식도 없지만, 나이, 하는 사업, 과거에 했던 일까지 모두 비슷하다. 두 사람은 대학 졸업 후 은행에 취업했다. 지금도 그렇지만, 1970년대~80년대는 고성장, 산업화에 박차를 가하던 시기였던 터라, 각종 산업계에 혈류를 제공해 주는 은행(원)의 인기는 높았다. 대학생 수도 많지 않을뿐더러, 대학 졸업 후 은행에 입행하는 건 더 어려운 일이었다. 높은 연봉과 직업적 안정성, 금융 전문가로서 위상까지 뭐 하나 빠지는 게 없었다.

그러나, 최고 인재의 요람이라 일컬어지는 한국은행, 금융감독원이라 해도, 남들이 다 부러워하는 애플, 구글, 테슬라에 다닌다 해도, 적성에 안 맞는다면 이직이나 창업 외에 다른 선택지는 별로 없다. 만약, 그들이 한 직장에서 정년을 맞이했어도, 퇴직 후 시니어 창업가의 길로 들어섰을지는 확실치 않다. 그보다는, 몇 차례의 이직을 통해 다른 직업도 경험하고, 다른 직종의 사람들도 계속 만났기에 결국 자신만의 업(業)을 찾은 것이 아닐까 한다.

10여 년에 걸친 은행원 생활 후, 그들은 각각 해운회사, 조선회사, 건설회사, 산림조경회사 등 대기업과 중견기업에서 직장생활을 계속한 뒤, 50대 후반에 퇴직했다. 여기까지만 보면, 무난한 직장인의 표본이다. 퇴직 후에는 5년 단위로, 개인연금, 국민연금, 기초연금까지 받게 되니, 젊어서 한 고생 보상받고, 편안한 노후를 보낼 수도 있는 일이다.

필요충분조건은 하나, 아무 일도 시작하지 않고, 가만히 있는 것이다. 배우자, 자녀, 친지도 그들의 도전을 탐탁지 않아 할 것이고, 동년배 친구들도 복지(伏地_땅에 가만히 엎드려 있기, 福祉_사회로부터 혜택받는 것)를 삶의 미덕으로 여길 테니, 그들에게 창업을 부추기는 이는 아무도 없었을 것이다.

그러나, 지금은 '나이 곱하기 0.7'의 시대다. 60세는 고작 마흔둘에 불과한 나이다. 젊고 건강한데다, 세상과의 소통 그리고 선한 영향력을 원하는 그들이 벌써 뒷방 노인네로 물러날 수는 없는 일이었다. 노인을 위한 나라는 없다.

누구나 그러하듯이, 그들도 저마다의 피치 못할 속사정 한두 개쯤은 안고 산다. 여러모로 은퇴는 시기상조였다. 한 사람은 진즉에 가족들을 외국으로 보낸 후 매월 생활비를 송금해줘야 하는 기러기 아빠, 다른 한 사람은 어린 나이에 창업해 자금난을 겪고 있는 자녀를 도와야 하는 화수분 가장이었다. 가혹하지만, 이러한 신세 또한 그들이 어찌하지 못하는 운명이니, 온전히 받아들이는 수밖에.

따라서, 창업하더라도, 초기자본금이 많이 들어가는 맥도널드 같은 프랜차이즈 매장은 언감생심이다. 체력이나, 특별한 기술력이 뒷받침되지 않더라도 할 수 있는 일, 그러면서도 30년 직장생활의 경륜과 인적 네트워크가 발휘될 수 있는 소자본 창업 아이템을 찾아야 했다. 쓸만한 자격증 하나 없는 상대 출신, 문과 출신 정년 퇴직자에게는 성실함과 책임감, 주변 선후배들의 평판, 인맥 외에 특출 난 장기는 없었다. 그러나, 시간과 경험, 노력으로 여태껏 쌓아 올린 성실함 같은 정성적 요인들이야말로, 시니어 창업가에게는 필살기가 된다.

그들은 건물, 호텔 등 대형 시설물의 방역, 청소, 조경 관리를 수행할 인력을 모집해 교육하고, 파견하는 인력 공급업, 시설 관리업을 선택했다. 이제 3년 차다. 창업 첫해엔 인력관리 시스템을 구축하고, 업무 매뉴얼을 작성하는 데 어려움을 겪었다. 오래 살았다 해도, 사업은 처음이니, 시행착오는 불가피하다. 좌충우돌했어도, 오랜 지인들과 예전 거래처들의 도움으로 5성급 호텔과 계약을 체결할 수 있었다. 30년 직장인의 성실함이 빛을 발한 순간이었다.

대표가 인맥으로 동원할 수 있는 사람 수는 한계가 분명하니, 타 업체에 등록된 동업종 경력자들을 간추린 후, 면담을 통해 성실한 분들 위주로 고용했다. 그렇게 시작된 인연이 수년째 이어지는 중이다. 구인 구직을 위한 중개 플랫폼, 애플리케이션을 구축하지 못했더라도, 알음알음 소개로 이어지는 대면 네트워크(오프라인) 시장은 존재한다. 디지털 정보혁명이라는 시대 조류에 역행하는, 아날로그 인본주의자들을 위한 틈새시장은 앞으로도 살아남을 것이다.

사람이 전부인 사업, CEO와 직원이 함께 나이 들어가고, 말

못 할 사연도 공유한다는 점에서, 그들은 상하관계라기보단, 차라리 동지(同志)에 가깝다.

통상적 경영관리 업무와 영업은 대표 혼자 진행할 수 있고, 큰 사무실도 필요 없으니, 고정비용은 아낄 수 있었다. 영업과 직원 교육, 파견 후 관리가 사업 성공의 핵심 요인이니, 홍보비와 인건비는 아낄 수 없는 노릇이다. 그러다 보니, 정작 CEO의 급여는 높이 책정할 수 없다. 예상치 못한 영업비용, 판매관리비, 복리후생비까지 지급하고 나면, 대표 본인 월급은 받지 못하는 때도 생긴다. 의도한 건 아니지만, 자연스레 CEO 성과급제가 도입된 셈이다.

회사 다닐 때는 잘 모르지만, 고정급여가 선사하는 심리적 안정감은 크다. 그래도 나이 들면 월급이든 용돈이든 받는 것보다는 주는 편이 낫다. 자고로, 나이가 들수록 입은 닫고, 귀와 지갑은 열어야 한다.

창업가가 타는 열차는 직선궤도를 달리는 기차라기보단, 롤러코스터에 가깝다. 기찻길의 변화무쌍함은 시니어 창업가라 해도 예외는 아니다. 그러나, 웬만해선 시니어 창업가의 열차가 궤도에서 탈선할 일은 없다. 과유불급(過猶不及)의 이치를 잘 알기 때문이다. 삶의 변동성은 크지만, 나이 들고도 수십, 수백 명의 동료들에게 일자리와 급여를 제공하고, 탄소 절감과 고용 증대, 노인 복지 같은 시대정신에 부합하는 ESG 경영을 통해 사회에도 이바지할 수 있다는 건 감격스러운 일이다.

오늘 만난 CEO에게 70년 전 맥도널드같이 고객과 가맹점 수가 기하급수적으로 늘어나는 기적이 발생할 확률은 낮다. 하지만 괜찮다. 송충이는 솔잎을 먹고 살면 된다. 햄버거와 콜라는 많이 먹어봐야 살만 찌고, 건강만 상할 뿐이다. 고마운 단골들에게 알게 모르게 당뇨와 비만, 성인병을 제공할 수는 없다. 그보다는, 실내 공기질 관리, 폐자원과 폐기물 분리수거 등 친환경, 저탄소 서비스를 통해 온실가스를 감축하는 게 더 가치 있다.

곱하기 0.7의 시대, 서두르지 않고 차분하게, 지나친 욕심은 내려놓고 두려움 없이, 새로운 도전을 준비해야 한다. 너무 늦은 시작이란 없다.

20. 건물주는 모험가다

얼마 전까지만 해도 나이 예순은 은퇴할 시점으로 여겨졌다. 100세 시대가 도래하였음을 머리로도, 가슴으로도 인식하고 있지만, 그렇다고 해서 60이 넘어 새로운 일에 도전해야 한다고는 생각하기는 어렵다.

그러나, 이젠 고정관념을 타파해야 할 때가 됐다. 당장, 내 나이가 60이 된다 해도, 우리 집 막내아들 녀석은 고작 스물셋의 대학생에 불과할 것이고, 난 그의 든든한 울타리가 되어주어야 한다. 최소한 뒷방 늙은이같이 신세 한탄이나, 라테 타령만 하고 있을 수는 없다.

60은 **한창 왕성할 때다.** 2세 경영, 주식 증여는 이야기는 아직 때 이르다. 가끔, 다른 곳에서 사회생활을 하는 자녀를 본인 회사로 강제 스카우트해서 가업승계를 준비하는 대표들을 본다. 그렇다고 해서, 겨우 나이 예순에 본인은 뒤로 빠지고 자녀에게 경영권을 넘기는 수렴청정(垂簾聽政)은 많지 않다. 경험과 지혜, 건강마저 여전한데, 굳이 자녀에게 사업 위험을 미리 안겨줄 필요는 없다.

이 대표 부부 역시 마찬가지다. 그들은 **부부이자, 공동경영인**이다. 십수 년째 공동사업자의 지위를 유지 중이다. 부부가 사업상 파트너일 경우 실패 확률은 매우 낮다. 정확한 통계치가 있는 건 아니지만, 여태껏, **성실한 부부** 사업가에게 **금융지원을 했다**

가 부실 처리되는 경우는 별로 본 적 없다.

단, 공격수와 수비수로 역할을 잘 분담해야 한다. 그래야 한 사람이 투자에 공격적으로 접근하더라도, 다른 한 사람이 악마의 변호사(Devil' s Advocate)처럼, 생각지 못한 위험을 찾아내거나 뜯어말려서라도 적절한 합의점을 도출할 수 있기 때문이다. 합의를 통한 의사결정은 행여 일이 잘못되더라도, 누구 탓하지 않고, 결과를 받아들일 수 있게 만든다. 부부가 함께라면, 가정도 지키고, 함께 재기도 모색할 수 있다.

그들은 슈퍼마켓 여러 개를 운영하는, 이른바, 슈퍼-리치(Super-Rich)다. 그런데, 단순히 말장난이 아닌 것이, 슈퍼마켓의 규모가 상당하다. 10여 년 전, 처음 본인들 명의의 슈퍼마켓 사업자를 낼 때만 하더라도, 이 정도로 크게 성장하리라고는 상상하지 못했다. 오랜 세월, 부부가 함께 공동경영을 했기에 가능한 성과다.

우리나라에 슈퍼마켓을 운영하는 부부 대표의 숫자는 헤아리기 힘들 정도로 많다. 동네마다 자리한 생계형 마트부터, 신세계 이마트, 롯데마트와 경쟁할 정도의 규모인 슈퍼슈퍼마켓에 이르기까지. 언뜻 생각해도, 슈퍼마켓은 부부가 합심해 꾸려나가기에 제격인 업종이다.

그렇다고 해도, 나이 50에 다른 사람 소유의 부동산에 임차로 첫 슈퍼마켓을 낸 후, 불과 10년 만에 7호점 대형 슈퍼마켓을 내는 일은 아무래도 남다른 성취다. 더구나, 그들이 이번에 새로 오픈하려는 마트는 사업비가 무려 2백억 원에 이르는 초대형 프로젝트다. 토지 매입 비용 150억 원에, 건물 신축비가 50억 원에 이른다. 대형 슈퍼마켓 신축공사는 큰 기회임과 동시에, 위험이기도 하다.

일반인 시각으로는, 나이 60의 개인사업자가 수억, 수십억 도 아닌, 수백억짜리 건물 신축을 하는 건, 일생일대의 모험이라 해도 과언이 아니다. 아무리, 돈을 많이 벌었다 해도, 공사비 총액 중 그들이 남의 도움 없이 직접 조달할 수 있는 자본금은 수십억에 불과하기 때문이다. 기껏해야 총액 대비 40% 수준이다.

이 정도면 거의 중견기업 프로젝트다. 자칫하면, 총자산 500억, 매출 1천억, 종업원 수 300명 수준의 알짜배기 기업 하나가 공중분해될 수도 있는 투자 규모다. 심지어 최종의사 결정이 주주총회나 이사회 의결을 거친 것도 아니다. 오직, 부부 합의만 필요할 뿐이다.

더구나, 지금은 인플레이션 고금리 시대다. 아무리 낮게 잡아도, 연이율 5~6%는 이자 비용으로 지급해야 한다. 이 프로젝트를 위해 은행에서 조달할 대출금 외에, 슈퍼마켓들 운영을 위해 이미 받은 대출금도 50억 원은 된다. 대출 원금만 1백5십억 수준이니, 매월 이자만 자그마치 8천만 원이다.

더구나, 건물이 준공되기까지 남은 시간도 최소 1~2년, 그사이 임대수익은 없다. 들어오는 돈은 하나도 없는데, 나갈 돈은 태산이다. 매월 금융비용에, 건축사 사무실 용역비, 그리고, 생각하지 못했던 기타 비용도 발생한다. 건물 신축공사 첫 삽을 뜬 지도 벌써 1년이 다 되어 가는데, 애당초 예상했던 준공 시기는 점점 뒤로 밀리고, 주변 아파트 주민들의 각종 민원은 계속되고, 시청과 구청에서 요구하는 각종 사안을 해결하는 데도 시간과 돈이 계속 들어간다.

프로젝트 초기에는 전혀 예상하지 못했던 금리 인상, 공사 원재료 가격의 가파른 인상, 현장 공사투입 인력들의 인건비 상승으로 인해 추가 비용이 가파르게 올랐다. 공사 현장에서 인명 사고도 있을 뻔했다. 하마터면, 돈 잃고, 사람 잃고, 건물 신축 프로젝트도 무기한 연장되는 최악의 상황을 맞이할 수도 있었다.

이 정도면, 자연스레 의문이 들게 마련이다. 그동안 벌어 놓은 돈도 많고, 이미 여러 슈퍼마켓도 잘 운영되고 있는데, 일개 개인사업자가 굳이 이렇게 위험천만한 대형 프로젝트를 진행할 필요가 있나 하는 것이다. 그것도 인생 황혼기에 말이다.

투자에 옳고 그름은 없다. 사업과 투자는 위험을 포함하고 있을 뿐이다. 실패 위험을 감내하지 않고는 결과를 낼 수 없다. 수익 실현 또는 손실을 본 후 내리는 해석은 모두 사후적인 분석일 뿐이다. 분석가(Analyst)는 일억원 연봉자는 될지언정, 부자가 될 수는 없다.

흔히, 부동산 임대사업이라고 하면, 돈 많은 전주가 땅짚고, 헤엄치면서 손쉽게 돈 버는 일이라고 폄훼하기 쉽다. 하지만, 이 세상에 당연한 투자 수익은 없다. 토지를 사는 과정에서 사기를 당할 수 있고, 토지용도변경에서 난관을 맞이할 수도 있다. 비싸게 산 토지인데, 건축 허가가 나지 않는 경우도 비일비재다.

시공사나 건축설계사 사무실과 분쟁이 발생해 공사가 중단되거나, 소송으로 이어지는 일도 많다. 요즘은 공사 원자재 가격이 올랐다는 이유로, 이미 체결된 계약은 무시하고, 공사 중단 운운하며 건축주를 힘들게 하는 일도 많다. 끝날 때까지, 끝난 게 아니다.

남들 보기에는 쉽게 돈 버는 것처럼 보여도, 결코 어느 것 하나 쉽게 얻어진 건 없다. 스쳐 간 많은 사람이 부부의 성공을 그저 운이라며 평가 절하하는 경우도 많다. 그렇다고, 그럴 때마다 사람들에게 일일이 고충과 난관, 실패 부담감을 설명해 줄 수도 없는 일이다. 어차피 세상을 사는 방식, 위험을 감내할 용기는 모두 다르기 때문이다.

1년 사이 부동산 가치가 50% 가까이 올랐다. 살 때만 해도, 미친 짓이라던 사람들이 들으면 배 아플 소식이다. 땅을 산 후, 건축 허가를 받고, 토지 기반 공사를 하는 과정에서 자연스럽게 가치가 오른 것이다.

수천 세대 아파트 주민들이 주말마다 자가용을 끌고 5㎞를 달려 롯데마트로 장을 보러 가는 건 불편하다. 집에서 마켓컬리나 쿠팡으로 신선야채 새벽 배송을 요청하는 것도 못마땅할 수 있다. 먹을거리를 실제로 눈으로 보거나, 손으로 만져보고 선택하고 싶은 수요도 엄연히 존재한다.

이런 소비자들을 위해 부부는 아파트에서 산책할 만한 거리에 슈퍼마켓을 내기로 한 것이다. 울퉁불퉁 제멋대로였던 아파트 옆 공터가 깨끗하게 정비되고, 그곳에 신선한 음식료품이 가득한 슈퍼마켓이 들어선다면, 공사 현장이 시끄럽다고 민원을 제기하던 사람들도, 언제 그랬냐는 듯 슈퍼의 단골로 거듭날 것이다. 신축 건물에 병원, 약국, 커피숍, 학원, 독서실, 코인 노래방과 골프 연습장까지 생겨 생활 인프라가 풍부해진다면, 동네 주민들은 부부에게 찾아와 집값 오르게 해 줘서 고맙다고 너스레를 떨 것이다.

경제적 성공을 원한다면, 실패할 위험을 기꺼이 떠안아야 한다. 실패를 수용하기 싫다면, 가족의 보금자리를 담보로 사업자금 대출받거나, 허허벌판에 건물 짓겠다고 여기저기 불려 다니며 돈 쓰고 싫은 소리 들을 필요는 없다. 알고 보면, 건물주는 모험가다.

21. 왕관을 쓰려는 자, 그 무게를 견뎌라

우리나라의 법인기업은 약 95만 개다. 그중에서 상장기업의 숫자는 약 2,500개에 불과하다. 유가증권 시장에 상장된 기업이 800여 개, 코스닥 시장에 등록된 기업이 1,700개 정도다. 단순 계산하면, 기업 중 상장사가 될 확률은 0.3%에도 못 미친다.

물론, 모든 기업인이 상장사의 대표가 되길 원하는 건 아니다. 회사를 외부에 공개한다는 건 유명한 회사가 되는 것 그 이상의 문제기 때문이다. 사내 유보금이 충분하거나, 뛰어난 기술력을 인정받아 소수의 주주로부터 충분한 자본금을 모집하였다면, 굳이 일반인(대중)에게까지 회사를 공개하고, 미주알고주알 모든 현황을 보고할 필요는 없을 것이다.

상장사 대표라는 타이틀이 주는 성취감과 기쁨은 일시적이다. 반면, 기업공개 이후 수많은 이해 관계자와 주주(투자자)들을 어르고 달래며, 수시로 매출액 · 영업이익 · 사업계획을 보고하고, 주가 · 배당 상승방안을 고민하는 건 여간 피곤한 일이 아니다. 대표자를 포함한 주요 임원, 대주주의 일거수일투족도 경영공시라는 이름으로 만천하에 공개되니, 경영자는 자유로운 삶을 기꺼이 유보해야 한다.

사실, 기업가가 처음부터 상장을 생각하며 창업한다고 보기는 어렵다. 생존과 성장을 위해 별의별 노력을 다하다 보니, 어쩌다 그 자리까지 간다고 보는 편이 더 타당하다. 회사가 계속 성장하기 위해서는 혁신이 필요하고, 이를 위해서는 설비투자, 연구개발, 인재 채용이 지속되어야 한다. 그 과정에 자금이 필요한데, 아무래도, 자기 자금만으로 필요한 투자금을 모두 조달하기 어렵다. 기업이 홍보활동(IR)을 통해 외부인으로부터 투자금을 모집하는 이유다.

처음부터 나를 믿고 투자해 달라며 다른 사람에게 고개를 숙이고자 계획한 창업가는 없을 것이다. 절체절명의 순간, 지푸라기라도 잡는 심정으로 천사(Angel)를 찾아 나설 따름이다.

나의 오랜 벗 이 대표의 부친도 그러했다. 그는 30대 중반, 10년 다닌 대기업을 박차고 나와 창업했다. 휘하에 백 명 이상의 부하직원이 있었다니, 이른 성공이라 보아도 무방했다. 그렇지만, 본인의 회사를 설립한 후에야 진정한 자유를 느꼈다고 하니, 그는 창업가의 운명을 타고난 셈이다.

처음엔 다니던 모기업에 부품을 납품하는 협력업체로 시작했다. 어떻게 보면, 땅 짚고 헤엄치기 같은 수월한 영업 방식이다. 하지만, 이러려고 창업한 건 아니었다. 기술력 기반의 100년 기업을 꿈꾸었기에, 경쟁력 있는 후속 아이템 발굴에 전념했다. 치열한 고민 끝에 반도체 부품 전문기업으로 목표를 정했다. 정확히는 반도체 장비와 인쇄회로기판(PCB)의 충격을 흡수하거나 줄일 수 있는 패키징(포장) 부품 생산기업이었다.

그가 투입한 자본금은 자그마치 15억 원에 이른다. 설비매입비

5억, R&D 5억, 개발비 5억 원이다. 2000년대 초반이었으니, 현재 가치로 보면 30~40억 원은 족히 넘을 만한 액수다. 아들 둘을 둔 30대의 가장, 창업 초기기업 CEO가 감당하기엔 벅찬 수준이었으리라. 그야말로 모든 것을 건 인생 투자라 할 만하다. 1세대 모험 기업가(벤처)는 이렇게 탄생했다.

문제는 그 돈을 다 쏟아붓고도 제품 개발이 마무리되지 않았다는 데 있다. 분명히 끝이 보이는데, 자금이 부족하다는 이유로 이대로 멈출 수는 없는 일이었다. 어느덧 기술개발은 단순히 한 개인의 부귀영화를 넘어 반도체 산업의 발전을 위해서라도 꼭 완성해야 할 소명(召命)이 되어 있었다.

은행도 친구도 그를 외면하던 시절, 안절부절 모든 것을 포기하려던 찰나, 때마침 생면부지의 사람에게서 연락이 왔다. 회사 기술력에 대한 소문을 듣고 찾아온 투자자가 무려 30억 원을 투자했다. 기술력과 성장 가능성을 높이 평가받았던 탓에, 수십억을 투자받고도 이 대표의 경영권은 그대로 유지됐다. 말 그대로, 천사 같은 투자자를 만난 셈이다. 궁하니 통했다.

그로부터 얼마 후 국내 최초로 반도체 패키지 소재 기술개발에 성공했다. 이후, 삼성전자의 협력업체가 됐고, 2005년 마침내 코스닥시장에 입성했다. 퇴직 후, 불과 몇 년 만에 이룬 성과다. 남 깎아내리기 좋아하는 호사가에게는 그저 운(運) 좋은 결과로 폄훼될 수도 있겠으나, 하루아침 하늘에서 상장 기업이 뚝 하고 떨어질 리는 없다. 0.3%의 기적은 준비된 자에게만 찾아오는 행운이다.

미래의 2세 경영인 이 대표는 원래 언론인을 꿈꿨다. 몇 번의 고배를 마신 후 아버지의 성화에 못 이겨 자의 반 타의 반 국제대학원에 진학한 후 반도체 대기업에 입사했다. 조금 더 정의로운 세상, 따뜻한 자본주의를 논하던 20대의 그는 사실 기업인보다는 저널리스트의 자리가 어울렸다. 아버지 회사 이야기는 단 한 번도 입 밖에 꺼내지 않던 걸 보면, 기업승계는 그의 인생 시나리오에 없었던 것 같다. 그러나, 아버지와 아들이라는 천륜(天倫)은 스스로 어찌할 수 없다. 그가 언론사 입사 대신 대학원에 진학한 것도, 반도체 회사에 취업한 것도, 지금 돌이켜보면 운명이다.

그로부터 15년이 흐른 지금, 그는 중견 코스닥기업의 CEO가 되었다. 독립적인 글쟁이가 되고 싶어 했던 그가, 180도 다른 위치의 기업가로 자리매김하기까지의 과정은 혁신(革新)과 각성(覺醒)의 연속이었다. 원치 않는 길에 들어섰다는 혼란스러움, 아버지의 기대를 저버리지 않아야 한다는 부담감, 그 과정에서 피할 수 없었을 아버지와의 갈등, 기업을 안정적으로 유지하고 성장시켜야 한다는 책임감, 직원들의 편견 등 여러 부정적 감정이 그를 압박했을 것이다.

상속받을 지분가치가 수백억에 달한다 한들 그가 마냥 기뻐했을 리 없다. 오히려, 그는 책임경영의 부담감에서 벗어나고 싶었을 가능성이 크다. 스스로 일군 부(富)도 아닐뿐더러, 그는 부잣집 도련님이 아닌, 저널리스트를 꿈꾸던 역사학도였을 뿐이다.

그러나, 피는 물보다 진하고, 피를 속일 수도 없다. 전형적인 문과생 이 대표는 기술 기반 기업의 CEO로 거듭나기 위해 아버지 못지않게 치열하게 연구하고, 공부했다. 자칫하다간, 평생의 과업으로 일구어 온 탄탄한 기업이, 2세 경영자의 판단 착오로 바닷가에 쌓은 모래성처럼 쉽사리 무너질 수도 있기 때문이다. 정상에 오르기보다, 정상을 지키는 게 더 힘들다. 그는 때로는 과감하게, 때로는 신중하게 15년을 버텨냈다. 15년은 그가 자신의 운명을 받아들이고, 사랑하게 되는데 충분한 시간이다.

그사이 회사는 우리나라의 대표적 반도체 소재부품 기업으로 자리매김했다. 주력 제품에 따른 기업분할(스핀오프)을 통해 10개 이상의 계열사를 둔 중견기업으로 성장했고, 코스닥에 상장한 기업만 해도 3개에 이른다. 연간 총매출액은 5천억을 넘고, 기업의 시가총액은 1조 5천억~2조에 이르며, 종업원 수는 천 명이 훌쩍 넘는다. 그야말로, 벤처 성공의 신화다.

이 대표의 부친이 경영일선에서 물러난 지도 몇 년째니, 이젠 경영수업이라는 말은 어울리지 않는다. 그가 곧 회사의 얼굴이다. 네이버 경제 부문 뉴스 면에 그의 소식이 오르내리는 걸 보면, 이제, 그는 누구의 친구보단 대한민국 반도체 산업과 미래

신성장 동력산업을 이끌어 갈 차세대 CEO라는 호칭이 어울린다. 이 대표의 남다른 행보는 나의 기대를 저버리지 않고 있다. 수도권이 아닌 지역에 기반을 둔 기술기업, 청년고용 활성화와 인재개발에 힘쓰는 기업으로 인정받아, 대통령 표창도 받고, 산업 포상과 수출탑도 여러 차례 받았다. 장관과 총리의 방문도 이어지는 걸 보니, 국가 경제에 이바지하는 애국 기업임이 분명하다.

이뿐만이 아니다. 은퇴한 부친이 출연한 사재 수백억 원을 토대로, 회사는 지역의 벤처기업, 아이디어와 기술력이 뛰어난 청년 기업가들을 물심양면 후원하고 있다. 이십 년 전 아버지가 이름 모를 투자자의 도움으로 성공할 수 있었듯이, 이젠 그가 천사가 되어 모험적 기업가들에게 마중물을 제공하고, 성장을 위한 가속페달(accelerator)을 달아주고 있다.

산업경제 분야 투자의 선순환이 누군가의 강요가 아닌, 선의의 투자자・행동가들에 의해 자발적으로 이루어지는 걸 보면, 차가운 자본주의 이면에 자정작용이 작동하는 게 분명하다.

얼마 전, 한동안 잊고 지내던 이 대표에 대한 뉴스가 났다. 본격 2세 경영을 위한 지분승계가 마무리되어 간다는 소식이다. 지분 영 점 몇 퍼센트 증여에 증여세만 수십억이라는 자극적인 소식에, 호사가들의 반응은 제각각이다. 부러움 반, 시샘 반이다. 증여세를 내기 위해 주식을 팔고, 주식과 부동산을 담보로 수십억의 대출까지 받아야 한다. 회사의 경영권이 다른 곳에 넘어가지 않도록 주의를 기울여야 한다. 십수 년의 시간을 두고 차근차근 2세 경영을 준비하더라도, 여태 승계 절차가 마무리되지 않은 걸 보면, 지분 증여와 경영권 승계가 얼마나 난제인지 그리고 그동안 회사가 얼마나 성장했는지 새삼 깨닫게 된다.

아직도 일부 주주들은 이 대표의 경영역량에 대한 의문부호를 거둬들이지 않고 있는 듯하다. 아버지의 그림자를 벗어나는 건 그가 평생 풀어야 할 숙제일 수도, 아니 어쩌면, 영원히 풀지 못할 난제일지도 모른다. 역량을 증명할 특별한 방법은 없다. 시간을 두고, 실력과 실적으로 최고경영자로서 가치를 스스로 드러내는 수밖에.

하지만 걱정할 필요는 없어 보인다. 전반적인 경기침체와 수요부진으로 작년 동기 대비 매출액과 영업이익이 다소 감소했으나, 내년부터는 회사에서 생산하는 IT 부품의 수요 증가로 매출액과 이익이 증가할 것이라는 증권회사들의 보고서가 이어지고 있다. 회사도 이에 발맞추어 연구개발 투자와 설비투자에 적극적이다. 이런 추세가 반영된 탓인지, 올해 하반기 주가는 계속 상승세다.

대표이사에 대한 평가도 대체로 긍정적이다. 있는 척, 아는 척, 잘난 척과는 거리가 먼, 그의 심성과 인간 됨됨이는 이십 년이 지난 지금도 그대로인 듯하다. 자리가 사람을 만든다지만, 타고난 성정은 쉽사리 바뀌지 않는다.

물려받은 왕좌(Chair)에 앉았지만, 그는 분명 아버지와는 다른 생각을 하고, 다른 꿈을 꾸는 동상이몽(同床異夢) 의장(Chairman)이다. 그가 주도한 지역인재 고용 확대, 수평적 조직문화는 회사를 지역 젊은이들이 가장 일하고 싶은 기업으로 만든 일등 공신이다. 환경개선(E) · 사회공헌(S) · 주주가치(G)를 중시하는 경영철학도 시대정신에 부합한다.

바쁜 그에게 카카오톡 메시지를 보내고, 시간 되면 소주 한잔 사라고 부탁하기보단, 나는 소액주주에 불과할지언정 장기투자자가 되는 것으로 그를 응원하기로 했다. 언젠가 그가 경영일선에서 물러나는 날, 보유 주식을 전량 매도한 후 높은 투자수익률에 감사하다는 메시지를 남기는 것으로 나의 안부를 대신하기로 한다. 성공한 기업가, 성공한 투자자가 되어 만날 그날이 벌써 기다려진다. 무게를 잘 견디는 자에게 왕관이 씌워졌다.

<본문 4> 실패 이후 재도전 스토리

22. 법원은 누구에게나 열려 있다

살다 보면 예상하지 못한 일에 휘말릴 때가 있다. 누구나 다른 사람과의 관계 속에서 살기 마련이고, 그 관계란 필연적으로 오해를 낳거나, 갈등을 일으킬 가능성을 품고 있기 때문이다. 잘해 보려다가 생기는 오해라면 만나서 풀면 될 일이지만, 만약 누군가 고의로 문제를 일으킨 경우라면, 당사자 간에 원만하게 해결하지 못할 수도 있다. 그래서 경찰서도 있고, 법원도 있다.

가급적 법원이나 경찰서에는 안 가고 사는 게 상책이다. 그러나, 열심히 살다 보면 본인 의지와는 관계없이 혹은 제 잘못이 없다 하더라도, 사법기관에 드나들 일이 생길 수 있다. 특히, 법원은 우리 주변의 평범한 장삼이사(張三李四)들이 다양한 사연으로 출입하는 곳이다. 꼭 이혼소송이 아니더라도 말이다.

꼭 경찰이나 공무원, 판검사, 변호사만 법원에 수시로 드나드는 것은 아니다. 생각보다 법원은 누구에게나 열려 있다. 나는 수년간 소송업무를 담당하며 법원을 출입했다. 부실채권 회수, 시효관리를 위해 원고 측 대리인으로 직접 소송을 수행했다. 채권자로서의 당연한 권리이자, 의무이기 때문에 개인적으로도 그다지 거리낄 건 없었다. 상대방도 다양한 사연을 가진 사람이기에, 때로는 감정이입도 하고, 안타까운 심정이 든 적도 많지만,

공과 사는 엄연히 다른 영역이다.

안타깝게도, 채권자나 거래처를 일부러 속이거나, 해할 목적으로 금전적 사기를 치는 사람들도 많다. 그런 자들에게 잘못 걸리면, 제아무리 센 사람도, 선량한 채권자라 하더라도, 당해낼 재간은 없다. 피고가 원고 되고, 채무자가 채권자가 되어 공격(소송)을 가하는 경우도 생긴다.

법원 우편물이 사무실이 아닌 집으로 송달되는 바람에, 아내가 새파랗게 질려 무슨 사고를 쳤느냐며 따져 묻던 기억이 있다. 어느새 법원 출입이 자연스러워지자, 송달 주소지를 집으로 적는 수준이 된 것이다. 하긴, 법원 출입문에서 소지품 검사를 하던 사회복무요원이 나를 향해 "변호사님은 그쪽 말고 이쪽으로 들어가시면 됩니다!" 라고 말하던 에피소드까지 있을 지경이니, 그럴 만도 했다.

가장 사람이 붐비는 곳은 이혼 법정과 경매법정이다. 경매법정은 그야말로, 삶의 체험 현장 그 자체다. 모든 것을 잃고, 가진 재산으로 빚잔치해야 하는 채무자, 그도 알고 보면 한때는 잘 나가던 사업가였을 터다. 애초에 별 볼 일 없던 기업가는 자가 사업장에 자가주택까지 소유할 일이 없을 테니 말이다. 한때의 실수, 피치 못할 사정, 혹은 통제할 수 없던 이유로 인해 공장과 건물, 아파트를 이곳에 내놓게 되는 심정을 어찌 쉽사리 헤아릴 수 있으랴.

반면, 채권자들은 저마다 나누어 받을 배당액이 얼마나 될지 계산하느라고 분주하다. 경매계에서 작성한 배당표에 혹시나 오류는 없는지, 우리 회사 배당금, 나의 임차보증금이 과소 계상된 것은 아닌지, 꼼꼼하게 따져볼 일이기 때문이다. 아무리 전문가 집단이라 하더라도, 종종 잘못 작성된 배당표는 존재하기 마련이다. 게다가, 허위의 채권자도 가려내야 한다.

경매법정은 도떼기시장을 방불케 한다. 채무자의 하소연과 한숨, 채권자의 안도감과 불만이 혼재된 경매법정은 더 이상 신성한 법정이 아니라, 리얼한 삶의 축소판일 뿐이다. 패자가 아닌 승자도 있다. 바로, 경매 낙찰자다. 경제가 호황이면 호황인 대로, 불황이면 불황인 대로, 물건의 주인은 귀신같이 나타난다. 그가 낸 낙찰대금을 재원으로 빚잔치를 하고, 남는 돈이 있으면, 채무자(원소유자)에게까지 배당이 돌아간다.

자기 살던 곳을 비워줘야 한다는 이유로, 낙찰자에게 앙심을 품는 경우도 없지 않아 있지만, 가만 생각해 보면 전혀 그럴 일은 아니다. 물건에 가장 높은 가치를 매겨준 사람이니, 채권자에게도 채무자에게도 고마운 사람일 수 있다. 다행히 낙찰자는 낙찰자대로 만족한다. 수익률 계산하지 않고, 함부로 거액을 베팅하는 사람은 어디에도 없다.

사업하다 보면, 어디 경매뿐만이겠는가. 경매 사건은 그래도 홀가분한 마무리, 책임을 다하는 일이라 볼 수 있다. 빚잔치를 다하고 나면, 채권자나 거래처에 대한 책임감도 덜하다. 파산/면책 제도를 잘만 활용하면, 다음을 기약할 수도 있다.

그러나, 거래처와 금전 소송에 휘말리거나, 사기/배임/횡령과 같은 형사 소송의 당사자가 되면, 자칫 지옥 같은 소용돌이 속으로 휘말려 들어갈 가능성이 크다. 돈은 돈대로 잃고, 정신적으로도 피폐해질 수 있다. 더구나, 잃은 돈을 회복하기 위해 비싼 변호사 비용을 감내해야 하고, 경우에 따라선 승소 사례금도 지급해야 한다.

만약 돈이 없으면, 모든 결과를 자기 잘못으로 받아들여, 제 몫을 포기하거나, 아니면, 몸으로 책임을 져야 한다. 국선 변호인 제도가 있고, 민사 소송의 경우에는 자기 변론도 가능하지만, 뭘 좀 아는 주변 사람들은 충고한다. 가능하면 전관예우(판검사 출신) 변호사, 경찰대 출신 형사전문 변호사를 쓰라고 말이다. 유전무죄, 무전유죄의 외침은 여전히 유효하기 때문이다.

몇 년 만에 황 대표로부터 연락이 왔다. 그는 소프트웨어 개발을 전문으로 하는 벤처기업 사업가다. 내로라하는 대기업에서 IT 업무를 책임진 베테랑이다. 실력도 좋고, 인품도 훌륭한 편이라, 따르는 사람도 많다. 퇴사 후 바로 회사를 차렸음에도, 일감이 많았으니, 그의 품성을 인정할 만도 했다. 그러던 차에, 모 대기업으로부터 대형 프로젝트를 의뢰받았다.

대기업과 중소기업 간 거래계약이 호락호락하게 체결될 리는 없다. 주무 부서가 있고, 전문가들도 즐비하다. 예산팀, 감사팀, 그리고 그룹 최고위층까지 두 눈 새파랗게 뜨고 지켜보고 있는데, 수십억에 이르는 신규 플랫폼 구축 프로젝트가 주먹구구식으로 운영될 수는 없다.

굴지의 대기업이 미래 성장동력 발굴을 위해 전사적 차원에서 추진하는 사업임을 잘 알기에, 황 대표도 부담스럽기는 매한가지였다. 업무도 생소하고, 내부 전문인력도 부족하고, 자금력도 부족하기 때문이다. 처음엔 자기가 욕심낼 프로젝트가 아니라고 판단해, 고사의 뜻을 밝힌 적도 여러 번이다.

하지만, 이런 기회를 잡지 않으면, 회사를 업그레이드하기도 쉽지 않고, 언제까지 입찰업무만 수행하며 법인을 꾸려나갈 수도 없었다. 오랜 시간 팀워크를 다져 온 소프트웨어 전문인력도 있고, 그간 대기업, 금융기관 시스템 구축 프로젝트에 참여한 실적도 있었다. 무엇보다 처음부터 다 알고 시작한 일은 하나도 없다는 자신감이라는 무기가 있다.

계약을 체결한 후에는 일사천리였다. 중간중간 나에게 보여 준 결과물은 기대 이상이었고, 그 반응은 대기업 파트너들도 마찬가지였다. 그와 직원들이 밤새우는 일은 일상이었고, 가끔은 짜증 날 정도로 나에게도 밤낮없이 연락이 왔다. 돈보다는 열정, 여태껏 경험하지 못한 새로운 플랫폼을 구축한다는 데서 오는 뿌듯함이 그를 움직이는 원동력이었을 터다.

그런데, 어느 날 대기업으로부터 소장이 날아왔다. 다소 이견은 있을지언정, 바로 엊그제까지도 업무협의를 지속하고, 중간 결과물이 나올 때마다 본사에 찾아가 업무 시연회도 진행해 대기업 임원들 앞에서 긍정적 피드백도 받았는데, 난데없이 소송이라니, 황 대표로서는 받아들이기 힘든 결과다.

물론, 내가 그들 사이에 있었던 수많은 에피소드를 다 알지는 못한다. 원고 측 소송대리인이 작성한 소장을 읽다 보면, 황 대표와 그 회사 직원들을 사기꾼으로 오해하기도 쉽다. 판검사 출신의 국내 최고 법률회사 소속 변호사들이 작성한 대기업 측 입장의 소장이니, 얼마나 잘 썼겠는가. 피고 측을 잘 이해한다는 내가 보더라도, 설득될 수준의 내용 전개였다. 물론, 스토리의 교묘한 각색과 편집이야 있겠지만 말이다.

그러나, 내가 아는 한 대표와 직원들은 프로젝트를 훌륭하게 수행했다. 어디에도 없던 플랫폼을 만들었고, 대기업 측에 시연해 칭찬도 받았다. 모르는 부분은 각 분야의 전문가들을 찾아가 배우고, 모자란 부분은 메꾸어 가면서 하나씩 해결했기에 가능한 결과였다.

소송 결과는 예단할 수 없다. 회사 측 잘못이 전혀 없다고 볼 수는 없으리라. 어떤 다툼이든 상대방이 있는 한, 어느 한쪽의 100% 책임은 없을 것이다. 어쨌든, 대기업과 중소기업 간 소송은 그 시작과 동시에 한쪽의 치명상이다. 결과가 나오기 전에, 어느 정도 결판이 나 버리는 형국이다. 당장 피고 측은 소송대리인, 변호사를 구하는 일부터 쉽지 않다. 상대방이 누구인지를 얘기하고 나면, 내용은 들어보기도 전에 거절하기 일쑤다. 실력 있다는 변호사를 수소문해 의뢰하려니, 이번엔 소송비용이 부담된다.

변호사를 구해도 문제다. 처음부터 있었던 일을 다 설명해 주고, 서류를 제출해도 잘 이해하지 못한다. 아무리 똑똑한 변호사라 해도, IT 용어, 소스 코드, 프로그램 구조를 온전히 알아듣기는 힘들다. 게다가, 대리인이 이 소송만 담당하는 것도 아니기에, 투입할 에너지도 시간도 한정적이다. 그러다 보면, 이럴 바엔 나 홀로 소송을 진행하는 편이 낫겠다는 푸념도 나온다.

대한민국은 소송 공화국인지라, 변론기일도 잘 잡히지 않는다. 앞으로 얼마나 긴 시간이 걸릴지, 과연 결과가 황 대표에 유리할지도 예상하기 쉽지 않다. 정신적으로만 힘든 게 아니다. 당장, 주거래통장이 압류되어 직원들 월급이 몇 개월 치 밀렸고, 가족 생활비도 여기저기서 빌려 충당할 수밖에 없다. 개인 재산도 모두 법인에 투입했기 때문이다.

더 힘든 건 형사 소송이다. 특정경제범죄 가중처벌 등에 관한 법률상 사기죄라니. 아무리 프로젝트 결과가 신통치 않았더라도, 황 대표 입장에선 이건 터무니없는 겁박이요, 자비 없는 폭력이다. 오십 평생 법원은커녕, 경찰서에도 단 한 번 출입한 적 없다는 그가 정신적으로 무너지는 것도 이해가 된다.

수익금이라 해 봐야 통장에 남은 돈이 다고, 그 돈도 압류되어 한 푼도 인출 하지 못하는데, 상대방이 승소한다고 한들, 어디서 수십억 원을 마련해 지급하라는 말인가. 그 돈은 직원들 인건비, 외주 용역비, 소프트웨어 구매비 등으로 이미 소진됐다. 하물며, 형사 소송까지 제소하다니, 시쳇말로 감옥에라도 가게 되면, 상대방은 도대체 무엇을 얻겠다는 것일까.

돈을 잃으면 조금 잃는 것이요, 명예를 잃으면 거의 모든 것을 잃는 것이다. 여기에 건강까지 잃으면, 전부 잃는 셈이다. 그런데, 자칫하다간, 그는 돈과 명예, 건강까지 다 잃을지도 모를 위기에 처했다.

어제의 적이 오늘의 동지가 되고, 오늘의 동지가 내일의 적이 된다고는 하지만, 이는 어디까지나 외교 분야에 관련된 격언으로만 생각했다. 겉으로 드러나는 갈등도 크지 않았던 차에, 어느 날 갑자기 카드사용이 정지되고, 경찰서에 피의자로 불려 나가고, 직원들 월급도 제때 주지 못한다면, 그리고, 무엇보다 이 험난한 다툼이 언제 끝날지 기약마저 없다면, 과연 앞으로의 인생을 어떻게 살아간단 말인가.

그럼에도 불구하고, 그와 직원들이 마냥 이 사건만 대처하며 전전긍긍 살 수는 없는 일이다. 변호사의 조력을 받아 1차 준비서면은 무사히, 그리고 논리적으로 잘 적어서 제출했으니, 이제부터는 법원의 시간이다. 자책과 후회, 원망만 하다가 무너질 수는 없다. 그의 시선은 이제 다른 곳을 향해야 한다. 다행히, 직원들도 떠나지 않고, 그대로다. 이제, 그동안 잠시 유보해 두었던, 다른 회사의 용역 프로젝트를 시작하기로 했다. 다행히, 음반 엔터테인먼트 회사의 홈페이지 구축, 그리고, 음원 플랫폼 프로젝트가 들어왔다. 성과로 시련을 극복해야 한다.

공권력의 힘을 빌려 잘잘못을 가리고, 끝을 보기 전에, 부디 공방의 당사자들이 직접 대면해 얽히고설킨 감정의 실타래를 푸는 문화가 정착되면 좋겠다. 제아무리 원수지간이라 해도, 막상 얼굴 보면서 서로의 이야기를 듣다 보면, 오해가 이해로 바뀌기 마련이다. 그때는 틀렸어도, 지금은 맞는 일이 생긴다. 법으로 해결하는 건 마지막 수단이다. 우리가 민주사회의 시민으로 교육받는 건, 대화와 토론, 그리고 타협하기 위해서다.

세상은 요지경이고, 사기꾼들도 부지기수라지만, 세상은 아직 선량한 사람들에 의해 움직인다. 고의로 사기 치지 않고, 남을 속이지 않는 이상, 용서와 화해는 세상살이의 디폴트 값이다. 부디, 황 대표에게도 희망의 내일이 찾아오기를 기대해 본다. 하늘은 스스로 돕는 자를 돕는다.

23. 빚 없는 세상으로 돌아갈 수는 없다

2012년 작 영화 <화차>를 뒤늦게 보았다. 제목인 화차(火車)는 본래 불교의 용어로, 나쁜 짓을 한 악인을 지옥으로 데려가는 불타는 수레를 뜻한다. 미야베 미유키의 일본소설이 원작인데, 일본에서는 화차를 돈 문제로 빚에 시달리는 괴로운 현실을 의미한다고 한다.

한국의 현실이라고 해도 그와 별반 다르지 않으니, 일본소설을 한국 영화화해도 공감을 얻고 흥행에 성공할 수 있었을 것이다. 우리나라에서 화차는 한번 올라타면 절대 내릴 수 없는 지옥행 열차라고도 해석된다. 이는 여주인공 경선의 운명을 의미하는 제목이기도 하다.

화차는 10년도 더 된 영화다. 강산도 변할 만큼 시간이 지났고, 최첨단 정보혁명을 선도하는 수도 서울을 배경으로 하는지라 아무래도 빛바랜 느낌이 들어야 정상일진대, 영화는 지금 보아도 현실적이다. 2G 폰과 용산역 공중전화기는 사라진 지 오래지만, 주고받는 대화는 현시점에도 유효하다. 아프고, 쓰리다.

요컨대, 화차는 빚 때문에 괴로워하던 경선이 빚의 굴레에서 벗어나기 위해 발버둥 치지만, 결국 파멸에 이르는 이야기다. 가치 저장의 수단이자, 교환의 수단인 돈은, 그러나 태생적으로 과잉 생산된다. 돈이 순환하기 위해서는 누군가 플러스알파의 가치를 추가로 부여해 주어야 하기 때문이다. 그 시작점은 은행이다.

그보다 앞서 은행의 은행인 중앙은행이 최초의 신용(이자)을 부여해 시중은행에 빌려주면서 대순환이 시작된다. 이자라는 마법이 없다면, 처음 발행된 돈만 돌고 돌뿐 새로운 가치가 창출될 리 없다. 그렇게, 빚 권하는 사회가 탄생했다.

실은 이자를 내고 돈을 빌려 쓴 자(가계, 기업)가 세상을 발전시키는 주역이다. 빌린 돈을 제때 상환하거나, 높아진 신용으로 더 큰 빚을 내는 자는 은행과 정부로부터 VIP 고객, 혁신적 기업가라는 명목하에 우상화되기에 이른다.

세상에 없던 새로운 제품, 상품, 서비스가 생산되는 과정에서 새로운 시장 참여자가 나타난다. 한 주체가 처음부터 끝까지 모든 일을 도맡아 처리할 수 없기 때문이다. 누구든 본인이 가장 자신 있는 일에 집중할 때, 생산성과 효율성은 극대화된다. 이 과정은 생산물이 최종 소비될 때까지 계속된다.

그러나, 이 과정에서 승자와 패자가 나타나게 마련이다. 누군가는 최적의 생산품을 내놓는 데 반해, 누군가는 불량품을 생산하거나, 필요 이상의 양을 과잉 생산하기 때문이다. 물건이 팔리지 않아 원금이나 이자를 제때 납부하지 못하는 순간, 모험적 혁신가는 순식간에 빚쟁이로 전락하게 된다. 은행, 카드사, 저축은행, 대부업체, 사채업자에 이르기까지, 사실 모든 채권자는 같은 입장이었을 테다. 빚낸 자의 신용을 믿고, 빚을 권했다는 점에서 말이다. 빚낸 자가 보유한 자산의 담보가치, 혹은 보증인의 재력

보다는, 애당초 그가 계획했던 사업(일)의 성공 가능성을 높이 평가하고, 기꺼이 돈을 내주며, 응원하였음이 분명하다.

경선의 아버지는 공장을 운영했다. 그도 세상에 없던 새로운 제품, 혹은 기존보다 더 높은 효용을 주는 상품을 만들고자 노력하는 우리 사회의 선도자였다. 더구나, 소매상도 도매상도 아닌 공장이라니, 더 혁신적이요, 모험적이다. 기계설비 들이고, 건물 짓고, 원재료 매입하고, 직원 채용까지 했을 텐데, 이는 웬만한 자신감, 그리고 사명감 아니고서는 감행하기 어려운 일이다.

그러나, 성실함과 노력이 성공을 보장하지는 않는다. 오히려, 초기 투자 비용이 많이 드는 제조업체, 공장이 한번 실패하면, 더욱 회복하기 어려운 것이 현실이다. 제품 수요를 잘못 예측한 본인의 판단 착오든, 납품처의 부도로 인한 판매대금 회수 불능이든, 갑작스러운 코로나 발생으로 인한 강제 셧다운이든, 내 잘못 네 잘못을 가리지 않는다.

채권자는 비 올 때 우산을 빼앗아 간다. 그마저도 너 나 할 것 없이 자기네 회삿돈 먼저 갚으라며 난리다. 그런데, 아니나 다를까, 유독 대부업체, 혹은 개인 채권자(사채업자)가 문제다. 얼마나 많은 이들이 불법 사채업자, 고금리 악덕 대부업체로 인한 피해를 보았던가. 신체적 정신적 폭력, 밤낮 가리지 않는 불법 채권추심, 이자에 이자가 붙는 과도한 연체이자율, 가족에 대한 협박에 이르기까지, 우리는 그간 수많은 사례를 보고 들었다.

그러나, 영화가 현실을 과장하는 측면도 분명히 있다. 사채업자가 워낙 무섭게 그려지다 보니, 빚은 절대 져서는 안 되고, 사업(장사)도 하면 안 되며, 채권자는 무차별하게 모두가 악덕 사채업자로 표현되는 경향이 있다. 경선의 아버지가 빚쟁이, 신용불량자가 된 것은 그렇다 치더라도, 경선은 절대 채무자가 아니다. 영화 어느 부분을 봐도, 그녀가 아버지의 채무에 연대보증을 섰다거나, 사채(대출)를 썼다는 이야기는 없다. 그런데도, 실종된 아버지와는 별개로, 어머니는 죽고, 경선은 만신창이가 됐다.

단언컨대, 2012년에도 빚 연좌제 같은 건 없었다. 차라리 아버지가 죽었더라면, 상속을 포기해서 빚을 떠안지 않았으리라는 경선의 독백이 참말일 수는 없다. 아버지가 실종되었으니, 딸인 네가 돈을 대신 갚으라는 사채업자의 협박은 지나친 영화적(소설적) 상상력이요, 비약이다. 불법적 협박과 위협에, 경선도 그녀의 남편인 승주도 저항 없이 불행을 받아들이고, 경찰에 신고하는 시늉조차 하지 못하는 상황이 못내 아쉽다. 경선이 장사 접고, 이혼하고, 도망가다 사채업자에 붙잡혀 신체 포기각서 쓴 후 험한 곳으로 팔려 가는 장면에까지 이르니, 쓰디쓴 현실을 비판하려는 영화의 메시지에 공감은커녕, 반감마저 생긴다.

아마도, 채권추심(債權推尋)은 절대 악(惡) 임을 상기시키기 위해서 아닐까 싶다. 살다 보면, 누구든 빚을 낼 수 있지만, 빚 상환독촉, 즉 채권추심은 자제하는 것이 (윤리적으로) 옳다는 판단을 강요한다는 생각이다. 험상궂은 사채업자를 내세워 그가 불법적인 위해를 가하는 모습을 보여 주며 채무상환 요청은 나쁜 짓이라는 사회적 동의를 구하려는 의도로 읽힌다.

책임은 각자가 공평하게 지는 것이 맞다. 어느 한 당사자가 일방적으로 책임을 부담하는 것은 옳지 않다. 물론, 빚을 낸 차주(借主)가 채무상환을 위한 노력을 다해야 한다. 본래, 모든 채권자는 평등하다. 시간의 차이는 있을지언정 더 중요하거나, 덜 중요한 채권자가 있을 리 만무하다. 더 낮은 금리로 빌려준 채권자에게 더 큰 고마움을 느낄 수는 있겠으나, 나중을 생각한다면, 오히려 고금리의 빚부터 상환하는 게 나을 수도 있다.

어쨌든, 더 이상 빚을 감당할 수 없을 때까지는 본인의 깜냥껏, 가진 재산을 모두 처분해서라도 빚잔치를 해야 한다. 만약, 채무가 재산을 초과한다면, 차라리 두 손 두 발 들고, 법의 도움을 받아야 한다. 재산을 타인 명의로 돌리거나, 어느 일방의 채권자에게만 우선변제 하는 건 자칫, 하나를 얻으려다 모두를 잃는 일일 수 있다. 회생, 신용 회복, 파산, 면책 같은 공식적인 법률제도를 활용해야 한다. 영화 속 선영이 개인파산/면책을 신청했던 것처럼 말이다.

일반적으로, 소유부동산이나 재산에 우선순위 근저당권을 설정한 채권자는 채무자에게 문제가 생기더라도, 해당 재산을 경매에 넘기거나 근저당권 채권을 처분해 원리금을 전액 회수하거나, 손해를 최소화할 가능성이 크다. 보통은 은행, 보험사, 카드사, 저축은행 등 대형 금융회사들이 그 혜택을 본다. 사업가는 제일 먼저 이들을 찾아가 돈을 빌리고, 담보를 제공하기 때문이다. 제도권 금융회사들은 일반 개인에 비해 정보 접근이 쉽고, 폭넓은 정보 네트워크도 갖추고 있기에 채무자의 예금, 적금, 보험금, 숨겨진 부동산까지 손쉽게 찾아내 손실을 만회할 수 있다. 바로, 정보의 비대칭성이다.

세금 문제에 관한 한 국세청도 마찬가지다. 정보의 우위에 더해, 채권 회수 전담 특수조직(38기동대)까지 가동하니 비교적 수월하게 임무를 완성한다. 악덕 채무자가 숨겨놓은 세금을 환수하기 위한 그들의 고군분투를, 우리는 드라마, 영화를 통해 익히 알고 있다. 또한, 그들의 노고에 기꺼이 박수를 보낸다.

그런데, 대부업체나 사채업자라면 사정이 좀 다르다. 아무래도, 제도권 금융의 이용이 어려운 저신용자, 기존에 빌린 돈으로는 상황 해결이 어려워 추가로 돈을 빌리려는 사업가, 피치 못할 사정으로 오늘내일 당장 급전이 필요한 생활인이 이들을 찾기 때문이다. 따라서, 빌려주는 순간 돌려받지 못할 악성 채권이 될 가능성이 크다. 직접 대면해 말해주지 않는 이상, 어디에 무슨 재산이 있는지도 파악하기 어렵다. 높은 이자율을 요구하는 건 어쩌면 당연한 건지도 모른다.

제도권 금융회사에서 모든 자금 수요를 충족시킬 수 있으면 좋겠지만, 그럴 수가 없다는 게 문제의 본질이다. 은행은 돈이 필요 없는 이에게 돈을 빌려주고, 고리대금업자는 돈을 갚을 수 없는 자에게 일단 돈을 주고 본다. 공정한 채권추심을 명령하는 법은 있으나, 공권력(경찰력)이 미치기 어려운 현실적 지점이 있음을 알기 때문이다. 그렇게 악순환이 반복된다.

빌려주고, 빌리는 걸 막을 수는 없다. 피해를 막기 위한 노력의 지속으로 법정 최고금리는 2002년 대부업법 제정 당시 66%에서 20%까지 낮아졌다. 금전소비대차 계약을 체결할 때 당사자간 특별히 이자율을 정하지 않는 경우 우리 민법은 연 5%의 법정이율을 적용한다. 공짜가 없음이 법으로도 명시된 셈이다.

영화 속 형사들은, 가짜 신분으로 살며 후속 범행을 노리는 경선을 잡으려 애쓰기 전에, 우선 불법적인 채권추심을 막기 위해 노력했어야 맞다. 행여 당사자가 법률 지식이 부족해 신고하는 걸 몰랐다면, 동네 주민이든 가게 손님이든 보편적 상식과 합리성을 가진 시민이 돕고, 공권력이 개입해 사채업자의 폭주를 막았어야 했다. 그랬다면, 비극은 조기에 종료되고, 해피 엔딩을 맞이했을 것이다.

영화 화차는 돈의 위력, (불법) 채권추심의 악랄함, 인간의 탐욕, 그로 인한 여러 사람의 파국을 보여 준다. 그러나, 자본주의의 한계, 개인의 운명 운운하며 무기력하게 그 결과를 받아들일 수만은 없다. 성실한 실패자에게는 감당할 수 있는 만큼의 책임을 지워야 한다. 남몰래 자산을 숨겨놓거나 고의로 부도를 내지 않은 이상, 최초 모험적 투자자로서의 기업가정신, 그리고 그가 남겨둔 유무형의 자산은 이 사회가 최대한 흡수하고 인정해야 한다.

은행을 비롯한 채권자들은 채권자로서의 적법하고 정당한 권리를 행사하되, 불법추심에는 공동으로 적극 대응하는 등 선량한 관리자로서 의무를 다하고, 무자력의 채무자에게는 관용을 베풀어야 한다. 자칫하다간, 아무도 빚내지 않는 사회, 혁신과 성장이 정체된 시대로 회귀할 수도 있기 때문이다. 건전한 시장조성자, 공정한 감시자로서 정부의 중요성은 두말할 나위가 없다.

화차의 총제작비는 16억 원에 불과하다. 이유는 간단하다. 투자자 모집이 잘 안됐기 때문이다. 돈이 부족하니, 감독, 프로듀서, 주연 배우들도 받을 돈 덜 받고, 관객 수에 따른 러닝-개런티 계약을 체결했다. 위험에 기꺼이 동참한 것이다. 예상을 뒤집고, 영화는 흥행에 성공했다. 흥행해서 다행이지, 만약 그렇지 않았더라면, 투자자는 빚더미에 앉았을 것이다. 연출진과 스태프들도 한동안 배를 곯았을 것이다. 16억을 쏟아부은 후, 돌려받을 건 영화 마지막 자막에 나오는 제작진과 연출진 이름 목록이 유일했을 것이다.

영화인들이야말로 <빚 권하는 사회>의 최전선에 있다. 화차의 감독 변영주도, 그 유명한 박찬욱과 봉준호도, 숱한 실패를 겪은 후에 반석(盤石) 위에 올랐다. 실패가 속출한다 해도, 빚 없는 세상으로 돌아갈 길은 없다. 성실한 실패자의 경제적 손실을 어떻게 분담할 것인가? 이 질문에 대한 대답이야말로 바로 우리 사회의 수준이다.

24. 재창업에도 정석은 있다

서울 성수동은 묘한 동네다. 예쁘고 분위기 좋은 맛집, 브런치 카페, 커피숍이 모여 있어 SNS 명소가 많다. 가죽공방, 도자기 공방, 향수 공방, 수제화(구두) 가게와 같은 아기자기한 매장들도 눈에 띈다. 동시에 오래된 공장용 건물, 빈 창고들도 혼합되어 있다. 볼거리, 먹을거리가 많다 보니, 골목골목 걷기에도 참 좋다. 정리되지 않은 동네 같지만, 오히려 그런 점 때문에, 젊은 세대는 오늘도 성수동을 찾는다.

그런데, 데이트하거나 놀러 가는 성수동이 아니라면 이야기가 좀 다르다. 아는 사람들만 출입하는 오래된 구두공장, 주택을 개조한 가죽공방, 금속 장신구매장은, 사실 치열한 삶의 현장이기 때문이다.

전 대표는 일할 목적으로 매일 성수동으로 출근한다. 40년 된 단독주택을 개조한, 두세 평 남짓한 공간에서 여러 가지 금속제품을 만든다. 황동을 녹여서 만든 명함꽂이, 거치대, 금속 책갈피, 책 거치대, 카페 메뉴판, 냅킨꽂이, 기념패 등 그 종류가 매우 다양하다. 조그마한 금속제품 안에 친구나 연인, 부모와 자녀 등 특별한 관계의 징표를 새기고자 하는 수요는 의외로 많다.

그는 네이버 스마트스토어를 주로 활용한다. 본인이 직접 디자인등록, 상표권등록을 마친 다양한 금속제품, 리퍼 제품을 사진 찍어 올려 두고, 고객의 주문이 들어올 때마다, 제작해서 판매한다. 비슷한 형태의 금속제품 결과물을 반복적으로 생산하는 데 쓰이는 금형과 프레스기, 그리고 3D 도면설계 프로그램(CAD)이 있기에 가능한 일이다. 아버지 때부터 거래하던 업체들에 초벌 가공을 주로 맡긴다. 제품의 마지막 후가공과 점검, 포장과 배달이 전 대표의 몫이다.

그의 부친은 합금과 아연 제조 사업을 크게 했다. 지금 전 대표가 운영 중인 개인기업 상호 앞에 주식회사라는 글자만 추가된 회사였다. 1980년대 초반에 사업을 시작해 수십 년을 경영했으니, 부친에게 사업은 인생 전부였다. 전 대표는 사업하는 아버지를 도왔다. 사내이사에 이름도 올리고, 지분도 보유하고 있었으니, 과점주주인 이사에 해당했다. 불과 십수 년 전만 해도, 기업에서 은행 대출받을 때는, 대표이사는 물론, 대표이사와 특수관계라는 이유만으로, 배우자나 자녀들이 기업채무를 연대 보증하는 경우가 많았다.

전 대표도 그런 경우였다. 울며 겨자 먹기식으로, 은행이 부르면 쫓아가서 서명해야 했다. 20대 때의 그는 아마 연대보증이 무언지도 몰랐을 것이다. 제조업은 금융(대출) 활용이 불가피하다. 공장이나 기계설비, 시설 장치 도입에 워낙 돈이 많이 들기 때문이다.

미래에 대한 부푼 희망으로 공장을 신축하고, 기계설비를 확충하고, 원재료 구매도 늘렸는데, 예측하지 못한 대외변수로 제품 판매가 기대 이하인 경우, 제조기업이 입는 피해는 크다. 더구나, 황동, 알루미늄으로 만든 산업용 금속제품이 범용성이 있는 것도 아닌지라, 할인된 가격으로 덤핑 판매하기도 쉽지 않다.

결국, 2000년대 후반 글로벌 금융위기(리먼 사태)의 파고를 넘지 못한 아버지 회사는 부도를 맞았다. 그도 아버지와 함께 신용불량자가 되었다. 은행 채무의 연대보증인이었기 때문이다. 30대 중반의 신용불량자에게 선택지는 별로 없다. 어디든 직장에 취업해서는 수억 원에 달하는 금융권 채무 원금은커녕, 십몇 퍼센트에 달하는 (연체) 이자를 내기도 어렵다.

결국 그의 선택은 개인파산, 면책이었다. 법원의 판사님도 안다. 그에게 채무불이행의 고의성이 없었음을. 그리고, 그가 진 빚은 (웬만한) 근로소득으로는 평생 상환할 수 없는 규모의 금액임을 말이다. 이후, 전 대표는 옴짝달싹할 수 없었다. 별의별 생각을 다 했지만, 채무를 정리할 뾰족한 수는 없었다. 아버지 사업을 도와 열심히 일한 죄밖에 없는데, 연대보증이라는 이해할 수 없는 이유로, 자칫 평생을 빚쟁이로 쫓기며 살 참이었다.

그러나, 죽으라는 법은 없다. 파산이 선고되면, 책임이 면제된다. 실패를 받아들이면, 인생이 다시 시작(Re-set)될 길이 열린다. 파산면책 후 7년이 지나면, 신용불량에 관련된 기록도 삭제된다. 채권의 소멸시효(消滅時效)가 완성되기 때문이다. 그사이 연대보증 제도는 사실상 역사의 뒤안길로 사라졌다. 전 대표와 같은 선의의 피해자가 더 이상 양산되지 않을 수 있게 되었으니, 뒤늦게나마 다행이다.

그는 면책받았지만, 수년간 은행거래나 카드 이용은 언감생심(焉敢生心)이었다. 어쩔 수 없이 처음부터 다시 시작해야 했다. 그는 7년 동안 와신상담(臥薪嘗膽)했다. 금속 장신구 가공 기술은 이때 연마했다. 전 대표는 그렇게 성수동으로 돌아왔다. 배운 게 도둑질이라고, 황금(황동, 금속)을 포기할 수는 없었다.

결국 그의 선택은 황동 오브제, 수공예 소품 기업 재창업이었다. 아버지 회사 이름을 그대로 가져왔다. 자본금이 부족하니, 허름한 창고에서 시작해야 했다. 레트로(Retro) 공방 느낌이 나고, 유동 인구도 많은 성수동이 제격이었다. SNS 마케팅과 제품 디자인에 특화된 20~30대 아르바이트생 구하기도 어렵지 않았다. 성수동에 터 잡은 것은 신의 한 수였다.

바로바로 현금수입을 창출해야 하니, 일반소비자 대상으로 사업을 해야 했다. 길거리를 오가던 젊은 대학생들이 첫 단골이 됐다. 매장의 위치도 한몫했다. 초기자본금이 적다 보니, 낮은 가격으로 승부를 보아야 했다. 그래서 결정한 아이템이 바로 황동 소품(액세서리)이다. 특히, 글귀를 새겨 넣은(刻印) 금속 책갈피, 기념패, 명함꽂이의 인기가 좋다. 재창업한 지 3년 차, 브랜드의 인지도가 높아졌다. 최근 1년 매출액도 5억 원을 넘었다. 가내 수공업 비슷한 사업인데, 이 정도 추세면 중박 이상은 된다. 기념

(紀念)에 특화된 아이템과 디자인이 입소문이 났는지, 회사와 기관 단위의 단체 주문도 크게 늘었다. 기념비적 기적이다.

아직 갈 길은 멀다. 다품종 소량 생산에, 박리다매까지 포기하지 않아야 하니, 출근부터 퇴근할 때까지 하루 종일 정신이 없다. 아직, 업무를 믿고 맡길만한 후계자도 키우지 못했다. 무엇보다 육체적 노동강도를 낮춰야 한다. 업무 생산성과 효율성도 높여야 한다. 베스트제품의 소비자 판매가는 평균 5천 원에서 1만 원 남짓이다. 원재료와 외주가공비를 제하고 나면 30% 정도 남는다. 네이버를 비롯한 오픈마켓의 수수료, 배달 수수료, 아르바이트생 인건비는 별도로 나간다.

얼추 계산해 보자. 연간 매출액이 5억 원이면, 매월 대략 4천만 원, 일 평균 140만 원 정도의 매출이다. 제품의 개당 가격이 7천 원이라고 치면 하루에 200개를 팔아야 한다. 하루 8시간 일한다면 시간당 25개를 만들어야 가능한 수치다. 적정 재고를 확보해 두어야 하니, 시간당 생산량은 30개 이상이다. 가끔은 세밀한 후가공 작업도 필요하니, 아르바이트생을 한둘 더 늘리더라도 소화하기 버거운 수준이다.

전 대표는 올해 마흔다섯이다. 다시 시작하기 딱 좋은 나이다. 그는 헤매고, 넘어지고, 깨지는 삽질 인생 7년 만에 진짜 인생을 찾았다. 그는 실패가 두려워 주저하는 사람들에게 가슴 뜨거워지는 꿈을 꾸고, 진짜 인생을 찾아 나서라며 용기를 북돋아 주는 산증인이다. 이제 은행거래도, 신용카드 결제도 가능하다. 확인해 보니, 직원 인건비, 월세, 원재료 구매대금, 각종 공과금을 다 제하더라도, 그의 월 소득은 어느새 웬만한 직장인보다 많아졌다.

불과 1년 전만 해도 상상하지 못했던 일이다. 이쯤 되면, 그는 회복 탄력성의 표본이라 해도 과언이 아니다. 여든을 넘긴 그의 아버지도 더 이상 그에게 미안한 마음을 가질 필요 없게 되었다. 그간 아들에게 죄스러운 마음을 가지고 살았을 텐데, 참 다행스러운 일이다.

행여나 예전 일로 인해, 세상에 갖고 있을지도 모를 미안한 마음 역시 훌훌 털어버려도 괜찮을 듯하다. 재창업 후 3년 동안, 그가 납부한 부가가치세, 사업소득세, 그리고 직원 3명의 인건비만 더해도 족히 수억 원은 된다. 그의 의지가 새삼 대단하다. 그는 이십 년간 한 우물만 팠고, 바닥을 찍는 와중에도, 손끝의 예민한 감각을 계속 유지하며 언제 찾아올지 모를 기회에 대비했다. 기회는 기약 없이 찾아오기 마련이다.

공교롭게도 전 대표가 만드는 건 기념(記念)품이다. 그는 제품을 통해 고객에게 잊으래야 잊을 수 없는 기억(記憶)을 선물한다. 제품은 그가 판매하는데도, 수많은 고객이 그의 매장에 방문해 고마움을 표시한다. 마흔다섯, 성수동의 연금술사는 재창업의 정석(定石)이다. 그의 실패와 재도전, 성공적인 재기 스토리는 내 마음속에 영원히 각인(刻印)되었다. 시련은 있어도, 실패는 없다.

25. 회생절차를 기억해야 한다

1985년 기타리스트 김태원이 주축이 되어 탄생한 그룹 부활이 결성된 지 벌써 40년이 다 되어간다. 김태원은 늘, 부활 이름 덕분인지, 어떤 시련이 닥쳐와도 잘 극복해 낼 수 있었다고 말한다. 잊힐 때쯤 히트곡이 나오고, 쓰러질 때쯤 훌륭한 보컬리스트가 나타났고, 철천지원수라 생각했던 인연(이승철)과의 재회로 영원히 계속될 명곡(Never ending story)도 탄생했다.

이름은 잘 짓고 볼 일이다. 예술의 영역이야 그렇다 쳐도, 한 번 망한 기업, 실패한 경험이 있는 기업가도 다시 살아날 수 있을까? 아니면 세상 물정 모르는 철부지, 몽상가의 말 안 되는 이야기에 불과할까.

직업이 직업이다 보니, 예고 없이 갑자기 쓰러져버린 기업의 소식이 종종 들려온다. 가끔은 승승장구할 것만 같았던 회사의 부도/폐업 소식도 들린다. 그럴 때마다, 역시 사업은 아무나 하는 게 아니구나 하는 생각이 든다.

얼마 전, 코로나 팬데믹이 한창일 때 나를 찾아와 비대면 서비스를 강화하겠다며 야심 찬 자신감을 보여 주던 청년 기업가 노 대표의 폐업 소식이 들렸다. 사업은 잘됐는데 차도 바꾸고, 직원도 늘고 하니 마음이 콩밭에 갔는지, 방심했다는 풍문이 뒤따랐다.

초심을 잃는 순간, 이 정도면 됐다 하고 마음을 놓는 순간, 뒤에 숨어 있던 가혹한 운명의 신이 여지없이 모습을 드러낸다. 저간의 사정을 들어보고자 그에게 전화를 걸었는데, 결번이었다. 이렇게 연락 두절이 되고, 주변 사람들과 인연을 끊어버리는 경우엔, 다시 회생하기는 사실상 불가능하다. 상황을 회피하는 건 하책이다.

기업가에겐 신용평가 점수보다, 위기를 수습하려는 의지, 주변 이해 관계자들에 대한 대응 태도 같은 사후관리 역량이 중요하다. 아무래도, 노 대표가 스스로 기회를 날려버리는 거 같아, 그게 안타까울 따름이다.

사실, 치열한 경쟁사회, 자본주의 시스템하에서 같은 상품, 유사한 서비스로 소비자들의 선택을 받아야 하는 기업의 소멸은 피할 수 없는 운명이다. 간절히 바라면 온 우주가 도와준다는 비밀(Secret)도, 모든 사업가에게 알려진 이상 더 이상 비밀이 아닐지도 모른다.

물론, 예외 없는 규칙은 없다. 매스컴과 유튜브, SNS가 신화 같은 성공담을 계속 알려 온다. 그저, 성공확률이 매우 낮다는 사실이 잘 전달되지 않을 뿐이다. 알다시피, 죽은 자는 말이 없다. 성공은, 특히나 비즈니스 세계에서의 성공은, 사실 많은 이들의 희생으로 도드라지는 거라 해도, 완전히 빈말은 아니다.

그저 나만큼은 우리 회사만큼은 예외이길 바라지만, 통계는 거짓말을 하지 않는다. 냉정한 시각으로, 최악의 경우를 대비해야 한다. 2021년 한 해에만 102만 개의 기업이 생겨났고, 그중 76만 개의 기업이 소멸했다. 폐업률 74.5%, 생존율 25.5%다. 2021년 통계청에서 발표한 자료에 따르면, 기업의 생존율은 창업 후 1년 64.8%에서 5년 33.8%로 떨어진다. 1년 안에 셋 중 하나는 망하고, 5년이 지나면 셋 중 하나만 살아남는 게 현실이다.

2022년 한국은행의 기업경영분석 결과에 따르면, 영업이익으로 은행 이자를 감당하기도 힘든 한계기업이 전체의 35% 수준에 이르고, 기업 부채비율도 9년 만에 최고치라고 한다. 외부감사 기업의 차입금 의존도 (28.2%)와 부채비율(102.4%)도 모두 역대 최고치 수준이다.

코로나로 매출이 갑자기 반토막 나고, 거래처가 부도나 판매대금이 안 들어오고, 핵심 직원이 느닷없이 경쟁사로 이직해 버리고, 은행 금리가 2배 이상 오르는 건, CEO가 예상하기 힘든 변수들이다. 통제하지 못할 이유로 쓰러지는 회사들은 많다.

사업이 잘되는 동안에는 가족, 지인, 친인척, 직원, 거래처, 은행(정책금융기관), 정부 등 온 세상이 회사 편이다. 그러나, 회사가 어려워지면, 얘기가 달라진다. 사방은 적이 되고, 사장 혼자 남는다. 마지막 기댈 곳은, 사법기관(법원)뿐이다. 참, 아이러니하다. 세상사와 가장 동떨어져 있을 법한, 고귀하고 비현실적인 느낌의 법원이 최후의 보루라니. 여하튼, 채무조정(빚 탕감)을 통한 경영정상화를 원하는 기업은 법원에 기업회생을 신청하면 된다.

삼권분립이 민주주의의 근본 원리라는 건 배웠어도, 기업가가 투자자, 채권자가 아닌, 변호사를 찾아가 조력을 구하고, 법원에 구제를 신청하는 상황은, 쉽게 상상하기 힘든 그림이다. 그래도 회생제도가 있어서 다행이다. 이런 걸 두고, 수정자본주의 혹은 인간의 모습을 한 자본주의 시스템이라고 하는 걸지도 모른다.

어떤 이유에서건, 성장동력을 상실한 기업은 매출 급감, 수익성 악화, 부채비율 급등으로 한계에 처한다. 화재나 태풍, 수해와 같은 자연재해, 임직원의 횡령/배임 같은 사고를 피하지 못한 기업들도 많다. 사업 실패는 온전히 기업가 탓만은 아니다.

우리나라에 기업회생 제도(채무자 회생 및 파산에 관한 법률, 이른바 통합도산법)가 도입된 2006년부터 2020년까지 총 10,693개 기업이 기업회생을 신청했다. 같은 기간, 파산을 신청한 기업도 6,228개에 달한다. 2020년 한 해 동안은 코로나로 인해 사업을 포기한 기업이 늘어나, 회생을 신청한 기업 수는 감소하고, 오히려 파산을 신청한 기업 수가 처음으로 1,000개를 넘었다. 코로나가 남기고 간 상처는 크다.

또 하나, 회생 신청기업 중 외감기업의 비중이 계속 감소세다. 30%대에서 최근 9%대까지 줄었다. 외감기업은 자산총액이나 고용 규모가 일반 중소기업보다 더 크고, 보유 기술력과 사업 아이템 역시 부가가치가 큰 경우가 많다. 거시적으로 이들 기업의 재건은 중요하다. 그런데도, 회생을 포기하는 경우가 늘어난다는 건, 기업의 부실 규모나 원인이 복잡해, 회생절차를 통한 구조조정이 어렵다고 판단하기 때문이다.

그런데, 대법원 자료에 따르면, 2010~2019년 전체 기업회생 신청기업의 회생 계획 인가율은 연평균 50%, 인가기업의 회생절차 정상 종결률은 59% 수준이다. 0.5 곱하기 0.59는 0.295니까, 약 30%이다. 망했던 기업의 성공확률로 본다면, 생각보다 높은 수치다. 2006~2018년 기간 동안 외감기업을 대상으로 데이터를 분석해 본 결과도, 기업회생 인가율은 74%, 종결률 51% 수준이다. 성공률이 약 38%에 이른다.

요컨대, 대표자의 재기 의지가 사라지거나, 의지는 충만해도 회사 여건이 뒤따라주지 않는 경우가 아니라면, 회생 제도의 문턱은 예상보다 높지 않다. 물론, 회생계획안이 인가되면, 기존 주주나 채권자들의 권리는 크게 약화 된다. 턱없는 회생계획안을 제출한다면, 채권자들은 돈을 못 받는 한이 있더라도, 계획안을 부결시킬 가능성도 있다. 그러나, 고의부도가 아닌 이상, 회사가 일시적 유동성 위기만 벗어나면, 다시 정상화의 궤도에 오를 수 있다고 판단하는 한, 법원도, 채권자도, 주주도, 거래처도, 기사회생(起死回生)을 도우려 한다. 기꺼이 권리락(權利落)을 감수하면서까지 말이다. 회계법인도 기업의 존속 가치가 청산가치보다 높다는 계산으로, 기업 재건에 힘을 보탠다.

따라서, 성실한 실패기업, 채무부담(부채비율) 조정으로 제2의

도약이 가능하다는 자신감을 보유한 기업가라면, 기꺼이 회생 제도를 이용할 일이다. 채권자에게도, 채무감면 및 출자전환은 나중에 더 큰 이익으로 돌아올 수 있다. 실제로, 우리 회사도 모 기업의 회생절차 종결 및 주식 재상장으로 수십억 원의 이익을 본 적이 있다. 이런 재기 성공사례는 많다.

기업회생 인가기업의 재무적 성과가 미인가 기업보다 우수하다는 연구 결과, 회생절차를 정상적으로 졸업한 기업의 경영성과가 유의적이라는 통계 결과도 확인된다. 2021.12월 자본시장연구원의 연구보고서 [기업회생 신청기업의 재무성과 분석]에 따르면, 회생 종결 기업의 매출액, 총자산 규모가 증가세임이 (통계적으로) 확인됐다.

다만, 수익성 회복에는 한계가 있고, 매출액도 회생 신청 이전 수준으로 회복되지는 않은 것으로 분석됐다. 낙인효과 때문이다. 기업의 재도약은 고객 확보와 수주 확보를 통해 이루어지는데, 아무래도 회생 기업은 거래 상대방으로부터 현금거래를 요청받거나, 보증금 같은 각종 안전장치를 요구받는 경우가 많다. 기술개발과 투자도 위축되고, 영업도 예전만 못하다. 그러면서 2년 동안 빚도 갚아야 한다. 회복 탄력성의 한계는 불가피하다.

그래도, 회생절차를 졸업한 기업의 성장성이 확인된다는 건, 긍정적이다. 따라서, 회생절차를 잘 졸업한 기업에는 정책기관을 통한 후속적 도움을 줘서라도, 재도약의 기회를 줄 필요가 있다.

다행히, 2019년부터 회생 중소기업에 대한 신규 자금지원 (DIP 금융) 정책이 시행 중이다. 물론, 밑 빠진 독에 물 붓기, 중복지원과 같은 도덕적 해이(Moral Hazard)로 이어져서는 안 된다.

2022년 산업경제연구에 발표된 논문에 따르면, 2020년 DIP 금융을 지원받은 51개 기업과 지원받지 못한 83개 기업, 총 134개 기업을 대상으로, 자금지원 전과 후를 비교 분석한 결과, 자금지원을 받은 기업의 매출액 반등(성공)이 확인됐다. 지원받지 못한 기업들 대비 무려 25% 이상 성장률이 높은 것으로 조사됐다. 회생절차가 진행되는 동안 전략적 투자자, 재무적 투자자, 사모펀드 등 외부인들로부터 M&A(인수합병) 투자 제안이 들어오는 경우도 많다. 자본시장연구원에 따르면, 기업회생을 신청한 외감기업 1,530개 중 M&A 방식으로 회생 종결에 이른 기업의 비중이 49%에 달한다.

회사의 성장성(매출액 증가율) 측면에서는, 인수합병을 통한 회생절차 종결이 더 유리하다는 결과도 확인된다. 아무래도, 신규 투자자금이 유입되고, 새로운 경영진의 적극적인 성장 의지도 반영되기 때문이다. 채무조정(채무감면, 채무상환, 출자전환)을 통한 회생 종결이든, M&A를 통한 종결이든 간에 회생 기업의 재무적 성과가 개선된다는 점은 고무적이다. 회생을 통한 부채비율 인하도 기업의 부담감을 낮추고, 재도약 의지를 높일 수 있는 중요한 기제다. 기업회생 제도는 채무조정을 통한 기업 재건이라는 본연의 역할을 충실히 수행 중인 것으로 보인다. 경쟁력을 잃지 않은 기업에는 DIP 금융지원, 인수합병 등 의외의 기회도 생긴다.

요컨대, 실패한 기업 다시 살리기, 이른바 부활(Born Again) 프로젝트는 여전히 유효하다. 사업 실패라는 낭떠러지 앞에서도, 마지막까지 기회를 찾으려는 법인기업에는 기업회생 제도가, 개인사업자에게는 개인회생 제도가, 최악의 경우엔, 보유 자산(재산)을 총망라해 채권자에게 나누어주고(배당), 나머지 재산상 책임을 면한 후, 처음부터 다시 시작하는 파산/면책 제도가 있다. 숨지만 않으면 될 일이다. 죽으라는 법은 없다. 하늘은 스스로 돕는 자를 돕고, 하늘이 무너져도 솟아날 구멍은 있다. 길을 찾는 한, 기사회생의 기회는 있다.

어렵게 연락이 닿은 노 대표에게 장문의 메시지를 보냈다. 나의 조언을 받아들인 그는 얼마 후 법원에 개인회생을 신청했다. 사법부가 공식적으로 빚을 탕감해 준다는데, 외면할 필요 있겠는가. 기업가는 회생절차를 잊지 말아야 한다. 물론, CEO의 용기는 디폴트 값이다. 끝날 때까지 끝난 게 아니다. 부디, 몇 년 후 그에게서 좋은 소식이 들려오길 바라본다.

26. 창피함을 무릅써야 한다

한 사람이 걸어들어오는 건, 그의 인생이 다가오는 것이라 했다. 더구나, 한 기업의 CEO가 사무실에 방문하는 건, '기관 대 기관'의 만남이다. 자연인 간 일대일 만남이라면, 기호와 성향에 따라 매칭(Matching)이 되어도 크게 상관없겠지만, 중소기업과 공공기관 사이의 비즈니스 면담이라면 이야기가 달라진다. 함부로 눈길을 외면할 일이 아니다.

몇 년 전, 50대 초반의 사업가 안 대표가 나를 찾아왔다. 그의 표정에는 긴장감이 역력했다. 알고 보니, 작년부터 벌써 세 번째 방문이라 했다. 목적이 분명했던 만큼, 그는 앉자마자, 숨 쉴 틈도 없이 바로 본론으로 들어간다. 여느 기업가들의 태도와는 확연히 다르다. 지금 돌이켜보면, 절실함 때문이었던 것 같다. 민망함이나 창피함 따위가 비집고 들어갈 틈이 없었다. 그건, 나이가 들어감에 따른 낯짝 두꺼움과는 차원이 다른 것이다.

그는 사업에 실패한 적 있는 재창업가다. 남들과 다른 게 있다면, 그는 쉽사리 포기하지 않고, 계속 재기할 기회를 모색한 도전자라는 점이다. 어느 학자는 한 사람이 사업 실패로 말미암은 부정적인 감정 반응으로부터 자유로워지는 것을 회복이라고 정의했다. 하지만, 회복은 쉽지 않다.

안 대표는 대학을 졸업하고, 국내 굴지의 대기업에 입사해

10여 년간 IT 개발자 및 경영 컨설턴트로 근무했다. 이후, 경력과 인적 네트워크, 자신감을 바탕으로 과감히 회사를 창업했다. 정확히 표현하면, 모기업의 투자를 받아 전문 경영인으로 비교적 안전하게 새로운 시작을 할 수 있었다. 당시, 인터넷 쇼핑몰을 열어 각종 상품을 판매하는 전자상거래 기업들이 우후죽순처럼 생겨나던 시기였는데, 이들을 대상으로 쇼핑몰 홈페이지를 구축 및 관리해 주는 회사를 창업한 것이다. 초기에 사업은 순풍에 돛을 단 듯 순항했다.

회사 안이 전쟁터라면, 밖은 지옥이라던 사람들의 충고는 무색했다. 하지만, 복병은 예상치 못한 데 도사리고 있었다. 모기업이 투자 실패로 자금난에 봉착한 것이다. 2008년 미국발 금융위기의 파고를 넘지 못했다. 결국, 모기업은 법원에 기업회생을 신청했고, 안 대표의 회사는 연쇄 도산했다. 모기업의 신용으로 받아둔 정책자금을 상환하지 못했기 때문이다. 창업 초기의 기업가에게 대출금 일시 상환을 통지하는 건 사실상 사망선고나 다름없다.

본래, 금융은 무차별적이고, 무감각하다. 게다가, 날이 좋을 때 우산을 빌려주었다가, 비가 내릴 때 우산을 빼앗기도 한다. 아이러니하게도, 모기업은 회생절차에 따라 채무가 동결되었고, 이후, 대폭 감면된 채무상환을 완료해 현재는 회생절차 조기 종결 후 잘 운영되고 있다. 결국, 안 대표는 본인이 한 푼 써 본 적도 없는 돈을, 모기업을 대신해 전액 상환했다.

이후, 안 대표는 사업을 정리하고, 부동산 개발/투자업으로 전향했다. 평소, 관심이 많은 분야라 자신도 있었다. 부동산 경매를 통해 강원도 모처에 땅을 낙찰받았다. 알고 지내던 시공사/건설사와 협업해 그 땅을 개발해, 대규모 캠핑장을 운영할 계획이었다. 수억 원의 사비를 쏟아붓고, 공동 투자자와 함께 땅을 담보로 수억 원을 빌려 프로젝트를 진행했다. 그러나, 하늘도 원망하지, 건설사와 분쟁이 발생했다. 분명, 그가 발주자이고, 땅의 소유자도 그인데, 어느샌가 건설회사가 가압류채권자로 버젓이 등기되었다. 사업은 중단되었고, 야속하게도 시간은 2년이나 흘렀다. 기회비용까지 고려하면 족히 수억 원은 날린 셈이다.

안 대표는 소송에서 최종 승소했지만, 민사 소송을 통해 채권을 회수하는 건 어려운 일이다. 결국, 부동산 압류를 말소하는 데 만족해야 했다. 10여 년의 시간 동안 모았던 급여소득, 퇴직금은 그렇게 모두 소진됐다. 본인의 운 없음에 상처받았고, 믿었던 사람들의 배신에 좌절해야 했다. 열심히 살아온 데 대한 대가치고는 너무 썼고, 가장으로서의 위신도 말이 아니었다.

그사이 나이가 들어, 그는 지천명(知天命)에 들어섰다. 다행히, 지혜와 경험이 축적됨과 동시에, 그에게는 아직 사업에 재도전할 용기가 남아 있었다. 기업가정신이다. 혁신성, 진취성, 위험감수성 중 뭐 하나 빠지는 게 없다. 다만, 기업가정신은 양날의 검과 같아서 같이 사는 가족이나 친지, 그를 아끼는 벗들에게는 위험천만한 요소일 수 있다. 빛과 그림자는, 그렇게 늘 함께다.

어쩌면, 인생의 마지막일 수도 있는 그의 도전에는, 다행히 동행자가 있었다. 나이 50줄에 접어든, 사업 실패 경험이 있는 창업가에게 동업을 제안하는 건 어지간해서는 일어나지 않는 사건이다. 그는 실패를 수습하는 과정에서 남을 속이거나 상황을 회피하지 않았고, 자신이 떠안은 부채를 최대한 정리했다. 부채(빚)를 줄이는 과정에서, 최소한 남에게 부채(부담감)를 떠넘기지는 않더니, 이를 지켜본 사람들이 새로운 시작을 제안한 것이다.

안 대표는 대기업을 다니던 동생의 제안으로, 작은 회사 하나를 인수했다. 대기업과 대리점 약정이 체결된 지방의 작은 건설업체였다. 사정이 생겨 급히 전문 건설 면허를 보유한 회사를 매각하는 거였다. 인수대금은 예전 투자기업, 동생, 가족들 도움을 받았다. 사업 실패자가 주변의 금전적 도움을 받는다는 건 흔치 않은 일이다.

시스템 에어컨을 비롯한 냉난방기, 빌트-인 가전제품을 신축 건물에 납품, 설치 시공하는 회사였다. 대기업을 나온 동생이 합류하고, 얼마 후에는 동생의 제안으로 그 대기업에 다니던 동료들까지 입사했다. 그 이후로는 일사천리, 일들이 술술 풀리기 시작했다. 다들 영업 분야의 경력자들이었기에, 대기업 본사와의 네트워크에 어려움이 없었고, 충분한 물량 확보도 가능했다.

당초에 법인이 보유하고 있던 건설업 면허를 활용해 전국 각지의 아파트 건설 현장, 재건축 단지, 공공시설 건물에 끊임없이 입찰을 넣었고, 수의계약도 체결했다. 나이가 좀 많더라도, 경력이 많고 예전부터 회사와 인연이 있던 분들을 활용했더니, 업무의 생산성과 효율성, 직원들의 만족도도 높아졌다. 결국, 인수 1년여 만에 회사의 매출액은 100억 원을 돌파했다.

매출이 큰 폭으로 증가하게 되자, 구매처인 대기업 측에서 상품 매입거래를 늘리기 위한 추가 담보를 요구했다. 과거, 그 회사에 몸을 담았다고 해서, 거래량이 증가했다고 해서 그냥 봐주는 건 없었다. 사업이 확장되어가도, 당장 수억 원을 현금 또는 부동산으로 담보 제공하기는 어렵다. 기업의 규모가 커지면, 그에 따른 인건비, 원재료 구매비, 각종 판매관리비가 늘어나기 때문이다. 외상매출금을 회수하는 데도 수개월이 걸린다. 특히, 건설업은 더욱 시간이 오래 걸린다. 자칫, 분양이 원활하게 이루어지지 않으면, 전액 미수채권이 될 우려도 있다. 이런 상황에서, 안 대표는 창피함을 무릅쓰고, 계속 우리 사무실을 찾았던 거다.

그의 과거 이력, 사업 실패 과정들을 일일이 알게 됐지만, 그의 회사를 돕지 않을 이유는 없었다. 결국, 그가 예상했던 금액 이상의 담보를 제공해 주는 것으로 안 대표의 재기 의지에 힘을 보태주었다. 여전히, 회사의 앞날은 어떻게 될지 아무도 모른다. 더구나, 건설업 분야는 경쟁도 치열하고, 현재 건설업/부동산업 전망도 밝지 않다. 그러나, 불확실성을 이유 삼아, 뒤돌아갈 수는 없다. 그것은 기업가정신에도 정면으로 위배 된다. 윈스턴 처칠은 성공이란 실패를 거듭해도 열의를 잃지 않고 계속 나아가는 것이라고 했다. 누군가는 성공한 사람의 과거는 비참할수록 아름답다고도 했다. 실패를 잘 이겨낸 시니어 창업가의 앞날을 응원한다.

부록

스타벅스 건물주 되기

누군가 최종적인 꿈이 무엇이냐고 물어보는 경우 스타벅스 건물주 되기라고 말하는 사람은 많지 않다. 하지만, 스타벅스 건물주가 되기를 싫어하거나, 거부할 사람은 별로 없을 거다. 노동은 신성한 것이고, 임대 수입은 불경하다고 믿는 사람들도 분명히 있을 테니, 스타벅스 건물주 되기는 경제적 자유를 꿈꾸는 사람들의 버킷리스트 중 하나 정도로 보면 될 듯하다.

어쨌든, 현재 우리나라에서 스타벅스는 단순한 커피 전문점 이상의 의미다. 한편에서는, 기분 좋은 만남을 위해 그곳을 찾는다. 그리고, 다른 한편에서는, 성공과 성장을 도모하는 이들이 책/노트북을 들고 매장을 방문한다. 별 다방은 손님으로 꽉 차도, 마냥 시끄럽지만은 않다. 소란 속 집중이 가능한 묘한 공간이다.

수십억, 수백억을 번 유명인, 부자들이 스타벅스 건물주의 대열에 합류했다는 기사는 이제 더 이상 새로운 뉴스가 아니다. 의사, 변호사, 연예인, 스포츠 선수, 기업인 등 경제적으로 성공했다고 인정받는 사람들이 너나 할 것 없이 별 다방 건물주가 됨으로써 자신의 성공을 인증한다.

이유는 자명하다. 스타벅스는 앞으로도 계속 잘될 것이라는 믿음이 있기 때문이다. 그렇지 않다고 확신 있게 반대 주장을 펼치기는 쉽지 않아 보인다. 그만큼, 우리나라에서 스타벅스는 성업 중이다. 지금도, 도심지역 상업용 건물 1~2층 매장을 소유한 건물주들은 번호표 뽑아 스타벅스 측에 임차 문의를 하고, 그 심사 결과를 노심초사 기다리는 중이다.

임대인이 임차인의 선택을 갈망하는 특이한 상황이 벌어진 지 오래다. 갑과 을의 지위는 시대와 상황에 따라 변하기 마련이다. 왜 유독 이 좁은 땅덩어리에 그렇게 많은 스타벅스 매장이 생겨나고, 성업 중인지 너무 깊게 분석하면 안 된다. 이게 과연 옳은 것인지, 바람직한 현상인지 따지고 들어가면 더욱 답이 없다. 그냥, 수요 대비 공급이 부족한 데 따른 자연스러운 현상이라고 받아들이면 된다.

언젠가, 스타벅스 매장이 포화상태인 날이 올 수도 있다. 그렇다고, 그때까지 손 놓고 있다가 '내가 그럴 줄 알았다' 하고 얘기한다고, 그 분석력에 감탄할 일도 아니다. 누군가 10년 후, 아니 5년 후의 미래 예측을 한다 치면, 거의 사기라고 보면 된다. 당장 올해 초 한국은행에서 발표한 경제성장률 예상치만 해도 몇 번이나 수정되고 있다. 한 치 앞도 예상하기 힘든 세상이다.

2022년 기준 우리나라에 스타벅스 매장은 1,700개 정도다. 폐업률은 낮고, 신규 입점 문의는 계속 늘어나고 있으니, 이 글을 쓰고 있는 지금은 더 늘어났다고 보는 게 상식적이다. 스타벅스 건물주, 그들은 누구일까.

매장에서 기다리는 시간이 길어질 때, 꽉 찬 좌석에 어쩔 수 없이 발걸음을 돌려야 할 때, 퇴근길 지친 발걸음으로 스타벅스 매장 앞을 지나칠 때, 과연 이 매장의 소유주는 누구일까, 부럽다 생각을 한 적이 있다. 아마, 누구나 그럴 거다. 그러면서도, 한편으로는, 막연한 부러움을 없애기 위한 인지부조화가 가동된다. 사람은 자기 분수에 맞게 살아야 한다는 방어기제, 내가 가는 길이 옳고, 나는 특별한 존재라는 자기 확신, 건물주는 부정한 방법으로 돈을 벌었거나, 부모 잘 만난 것뿐이라는 못된 심보가 위력을 발휘한다.

사실, 우리는 알고 있다. 질투와 시기는 자기만 손해라는 걸. 최근 1년 사이 스타벅스 건물주 대열에 합류한 CEO를 세 분이나 알게 됐다. 잘 알고 지내는 은행 지점장님의 소개였다. 고양, 파주지역에 주로 근무하던 분이셨는데, 승진해서 강남으로 한 번 다녀오시더니, 재력가들을 많이 알게 된듯하다. 역시, 사람은 큰 물에서 놀아야 한다. 스멀스멀 올라오는 질투심은 최대한 억누르고, 호기심 있게 그들을 관찰하고, 기록했다.

이들은 모두 경기도 외곽에 드라이브 스루 전문 스타벅스 건물을 신축했다. 직업은 모두 제각각이다. 50대 중소건설업체 대표의 배우자, 40대 증권회사 직원, 그리고 공동 투자자 조합(5명, 지분율 각 20%)이다. 특이하게도, 내가 상상했던 직업군은 아니었다. 그럴 만한 재력이 있어 보이는 사람들의, 당연한 행보처럼 보이진 않는다. 허들(벽)을 넘기 위한 도전자의 느낌이다. 솔직히, 스타벅스 매장은, 교통이 좋고 유동 인구 많은 자리, 금싸라기 건물에 응당 존재하는 것으로 생각했다. 그런데, 그게 아니었다. 얘기를 들어보니, 웬만한 시내 자리는 포화상태란다.

하긴, 내가 사는 동네인 홍대입구역과 합정역 사이 매장 수만 해도 10개는 되니, 많기는 하다. 더구나, 기존 스타벅스 건물을 매입하는 건, 건물값에 권리금까지 더해 현금 수십억은 보유하고 있어야 고려해 볼 수 있는 일이다. 건물매입은 현금 부자들의 영역이다.

이들에겐 건물 신축이 대안이었다. 지역은 경기도 양주, 평택, 그리고 천안으로 제각각이다. 도대체 무얼 어떻게 한다는 건지 궁금했다. 직업도 다르고, 건물 신축 위치도 다르지만, 접근법은 비슷했다. 이를 정리해 보았다.

우선, 부동산 임대업을 목적으로 하는 법인을 설립한다. 토지매입비용, 건물신축자금을 모두 자본금으로 미리 준비할 필요는 없다. 일반인이 수십억, 수백억을 마련하는 일은 사실상 불가능하다. 하지만 걱정할 필요는 없다. 사업 단계별로 출자하면 된다. 일단 본인의 여유자금으로 법인을 설립하는 것이 중요하다.

그다음은 토지 매입이다. 기존에 땅을 가지고 있는 사람이 유리한 싸움이다. 당연한 얘기지만, 본인의 판단만으로 땅을 사서는 안 된다. 여기서부터 전략적이고 신중한 접근을 해야 한다. 파트너들과의 협업은 필수다. 땅을 알아본 후에는 부동산 담보 대출 전문가인 은행원, 스타벅스 매장 전용 건물을 신축해 본 경험이 있는 토목건축공사 업체를 섭외해야 한다. 해당 지역 공인중개사의 도움도 필요하다. 매입한 땅을 용도 변경할 수 있을지, 건축물 신축 허가가 가능할지 가늠하는 일은 중요하다. 복잡한 과정의 연속이다. 파트너들과의 신뢰 형성, 협업의 중요성은 아무리 강조해도 지나치지 않다.

무엇보다, 모든 업무 단계마다 스타벅스코리아 측과 꾸준히 소통하는 걸 잊어서는 안 된다. 이곳에 건물을 짓는다면, 스타벅스 매장이 입점할 수 있겠느냐는 답을 받는 게 중요하다. 계약하지 못하면 좋은 땅이고 뭐고 다 말짱 도루묵이다. 이들은 모두 여러 번의 부동산 임장 후 스타벅스 측으로부터 오케이 사인(Sign)을 받았다. 스타벅스 맘에 드는 땅을 찾을 때까지 계속 돌아다녔다고 말하는 게 더 정확한 표현이다. 그냥 되는 일은 없다.

여기까지 진행하면, 얼추 견적이 나온다. 본인이 조달할 수 있는 자기 자본금, 토지(예상) 매입가, 담보 대출가능액, 건물 신축 자금 등이 계산된다. 총액의 15%~20% 정도를 자기 자본으로 조달할 수 없다면, 이 프로젝트는 진행하지 않는 게 상책이다. 하다 보면, 여기저기 돈 들어갈 일은 많고, 의외의 복병이 나타나기 마련이다.

건물 신축 허가를 위한 지난한 과정과 소음공해, 교통방해로 인한 민원 발생도 필수라고 보면 된다. 원재료 상승으로 인한 공사비 증가, 공사 기간 장기화도 염두에 둬야 한다. 토지 매도인에게, 스타벅스 신축을 위한 매매라는 점을 알려서는 안 된다. 이게, 노출되는 순간, 협상이 중단되거나, 매입가가 훨씬 증가할 수 있다. 그래서, 혹자는 아예 처음부터 조금 더 땅값을 쳐 주는 방법을 추천한다.

그래도 이들 중 초기자본금을 충분히 마련하고 프로젝트를 진행한 경우는 없었다. 공동 투자자들이 합작 법인을 만든 것에서 볼 수 있듯이, 십수억 원의 여유자금을 통장에 가지고 있는 사람은 많지 않다. 가만 생각해 보면, 현금 부자들은 굳이 이런 수고로움을 감수할 필요가 없다. 좀 더 접근이 쉽고, 목이 좋은 곳에 건물을 사면 되니까.

다행히 스타벅스코리아는 미리 부동산 임대차계약을 체결해 준다. 건물이 신축되기 전에 말이다. 이 계약은 대외적으로 신용과 신뢰를 창출한다. 어느 정도는 투자자 모집을 보증한다. 실제로, 공동 투자자들이 신설한 법인은, 스타벅스와 체결한 임대차 계약서를 토대로, 외부 투자자 십여 명을 빠른 시간에 모집해 부족한 자금을 조달할 수 있었다.

모든 과정을 설계해 주는 프로젝트 매니저가 있으면 더 좋다. 수수료가 발생하기는 하지만, 내가 살펴본 바로는, 전문가를 활용하는 게 합리적이다. 토지 물색, 스타벅스 측과의 협의, 외부 투자자 모집, 은행 섭외, 건설업체 선정 등은 모두 엄청난 에너지가 소모되는 일이다. 지금은 혼자서 모든 일을 해내는 가내 수공업의 시대가 아니다. 각자 잘하는 일에 집중해야 한다. 분업화, 전문화, 이에 따른 거래비용 발생은 불가피하다.

스타벅스 건물주 되기 프로젝트를 구체적으로 정리하면 다음과 같다.

우선, 스타벅스 측에 문의 및 교류하면서 토지를 물색한다. 이때 상대방에게 스타벅스 예정지임을 알려서는 안 된다. 유동 인구가 확실한 시내가 아닌 이상, 스타벅스는 교통량, 인근 상업지/주거지역과의 거리, 배후 수요, 발전 가능성 등을 살펴본 후 의사결정을 내릴 것이다. 입지 매입을 제안하고, 기다려야 한다. 서두를 일도 아니고, 서두를 수도 없다. 본 프로젝트에서 가장 중요한 일이다.

둘, 매입할 토지가 결정되면, 토지 매매계약 체결과 동시에 은행과 대출 약정을 체결한다. 통상 토지매입가의 80%~85% 정도는 대출이 가능하다. 최대 2년 정도는 월세 없는 이자 납부를 감수해야 한다는 점을 잊지 말아야 한다. 결국, 별도의 사업소득, 근로소득이 뒷받침되어야 스타벅스 건물주 프로젝트에 도전할 만하다.

셋, 스타벅스 측과 계약을 체결한다. 이때, 스타벅스와 협의하여 토지에 대해 2순위 전세권(임차보증금)을 설정한다. 토지 등기부등본을 떼어 보기만 해도, 이 땅에는 곧 스타벅스 건물이 들어선다는 걸 알 수 있다.

넷, 건축사무소와 설계계약을, 건설업체와 건축공사 도급계약을 체결한다. 그전에 은행, 신용평가회사, CRETOP (중소기업 신용평가 사이트) 등의 서비스를 활용해, 업체의 신용도, 공사수행능력, 총자산 및 매출액 규모 등을 미리 파악하는 게 좋다. 최소 2~3개 업체로부터 견적서를 받아보아야 한다. 평판 체크도 필요하다. 공사계약을 체결하는 순간, 갑과 을이 바뀔 수 있기 때문이다. 최근 신축 경험이 있는 공사업체를 찾아가 의뢰하거나, 주거래은행에 추천을 요청하는 게 가장 낫다.

다섯, 프로젝트 매니저의 도움을 받아 외부 투자자를 모집한다. 자본금 유상 증자도 좋고, 전환사채 발행도 좋다. 아니면, 금전 임대차계약을 체결하는 방법도 있다. 내가 지켜본 바로는, 1~2억 정도의 여유자금을 미래의 스타벅스 건물에 투자할 지분투자자들은 생각보다 많다. 적정한 토지를 매입하고, 스타벅스와 임대차계약까지 체결했다면, 후속 투자자들의 위험부담은 적다. 큰 욕심만 안 부린다면, 당신(소액투자자)도 이 중 한 명이 될 수 있다. 투자자는 건물 완공 이후 매월 발생하는 월세 중 일부를 배당받을 수도, 건물 매각 시 보유 지분에 따른 차액 실현을 할 수도 있다. 이 정도면, 꽤 괜찮은 투자처다.

여섯, 투자자 모집이 덜 되었거나, 총 공사대금이 부족하면, 은행에서 건물 신축자금을 추가로 대출받는다. 지금껏 시설자금 대출금을 받지 않는 (예비) 건물주는 한 번도 본 적이 없다. 대출금 규모가 크게 늘면, 사업 진행에 대한 부담감이 커진다. 초기 투자금 규모는 중요하다. 아무튼, 외부 투자자 모집, 시설자금 대출, 공사 기간 단축 등 방법으로 자금난을 해결해 나가야 한다.

일곱, 건물이 신축되는 동안 분쟁 또는 민원 발생, 공해 문제 등으로 공사가 일시적으로 중단될 가능성에 대비해야 한다. 이때는 남 탓하지 말고 하나씩 해결해 나가야 한다. 건축 허가에도 상당한 시간과 노력, 부대비용이 발생할 것이다. 은행도 공사 리스크를 줄이기 위해 신용보증서, 부동산 담보제공 등을 요청할 수 있다.

여덟, 이 과정을 무사히 넘기면, 이젠 드디어 건물 완공이다. 그러나, 준공 심사를 받고, 소유권 보존등기를 하는 일 역시 만만치 않다. 긴장해야 한다. 끝날 때까지 끝난 게 아니다.

건물 신축 두 번은 못 할 일이라는, 업계의 격언이 있다. 부자 되기는 어렵다.

통상적으로, 스타벅스는 월매출액의 13~15%를 임차료로 지급하는 장기계약(10년 내외)을 체결한다. 고정 임차료를 내는 계약의 비중은 20~30% 정도로 알려져 있다. 수십억을 들여 여기까지 왔어도, 눈앞에 맛있는 밥상이 차려져 있는 건지는 여전히 불분명하다.

스타벅스 매장이라고 다 성공하는 건 아니다. 더구나, 이곳은 서울 시내가 아닌, 경기도 외곽지역의 드라이브 스루 매장이다. 건물 전체가 스타벅스 매장인데, 수요는 불확실하다. 공급의 과잉, 투자의 과잉이 걱정되는 건 인지상정이다. 더구나, 매월 발생하는 은행 이자를 문제없이 내려면, 모르긴 해도 최소 매월 1억 원의 매출은 발생해야 한다. 이를 역산하면, 하루 3백만 원, 개당 5천 원짜리 카페라테 기준 매일 600잔을 팔아야 한다. 매일 12시간을 영업한다 치면, 시간당 50잔이다. 만만치 않은 숫자다.

우리는 대부분 이 과정은 보지 못한다. 굳이 알려고도 하지 않는다. 영업개시 이후, 북새통을 이루는 매장을 방문해, 손님 머릿수를 세어보고, 어림잡아 매출을 계산해 본 후, 그저 건물주를 질투할 뿐이다. 수면 아래 백조의 발놀림은 보지 못한 채. 이미 스타벅스 건물 신축 및 매각 경험이 있는 1명을 제외한 모두에게, 이번 프로젝트는 일생일대의 모험이자, 인생의 승부수다.

가끔, 건물 매각으로 수십억의 시세차익을 실현했다는 유명인들의 소식이 화제가 되기도 한다. 하지만, 사실 무대의 뒤편에서 수많은 건물주, 기업가가 소리소문없이 쓰러져가는 것도 사실이다. 사방에 위험이 도사리고 있기 때문이다. 불과 6개월 전만 해도 전혀 예상할 수 없었던 고금리로 인해, 지금 얼마나 많은 이가 힘겨워하고 있는가.

스타벅스 건물주의 제1 덕목은 불확실성을 감수할 용기다. 시쳇말로, High Risk, High Return이다. 이는, 비단 스타벅스 건물주에게만 해당하는 이야기가 아니다. 자가 사업장 혹은 공장을 신축하거나 매입하려는 기업, 대규모 설비투자를 결정해야 하는 제조업체, M&A(인수합병)을 추진하는 기업에도 적용되는 원칙이다. 수익이 보증된 투자는 없다. 언뜻, 땅 짚고 헤엄치기처럼 보이는 스타벅스 건물주 되기도 이렇게나 험난하다. 아무리 돈을 많이 가졌더라도, 창업가/기업가가 되는 순간 예기치 못한 (잠재적) 손실을 감수해야 한다. 위험을 감내한 투자 수익은 정당한 보상이다.

첫술에 배부를 수는 없다. 목표를 지나치게 크게 잡는 것도 비현실적이다. 기왕 스타벅스에 관심이 있다면, 발품을 팔아 지분 투자부터 시작해 보는 게 낫다. 종잣돈이 없어 투자자가 될 형편이 아니라면, 스타벅스에는 관심을 끄고, 무자본 창업에 도전해 볼 일이다. 경제적으로 더 나은 삶을 살기 위해서는 역행자가 되어야 한다. 투자자, 창업가가 되지 않고, 지금의 삶을 그대로 유지하면서, 경제적 자유를 얻을 가능성은 제로에 가깝다.

우연한 기회에 전국 1,700여 명의 스타벅스 건물주 중 3명을 지켜보았다. 당장 내가 그들처럼 되기는 어려워도, 그게 꼭 불가능한 일이 아니란 것도 분명하다. 그들 중 타고난 부자는 없었다. 아직 성공의 반석 위에 올랐다고 보기도 어렵다. 다만, 그들은 모두 지금보다 한 단계 높은 부의 추월차선에 올라타기 위해,

인생의 자연스러운 흐름을 거스르고 있는 역행자였다.

이 프로젝트가 잘못되는 경우, 세상에 이로울 일도 없다. 창업가, 투자자, 은행, 보증기관, 공사업체, 건축업체 모두에게 손실이 크다. 스타벅스 본사도 난감한 일이고, 지역 주민도 쾌적한 문화 공간을 즐길 기회가 사라진다. 세무서도, 관공서도 미래 수익원(세원)이 사라지니 안타까운 일이다. 일자리 창출에도 손해다.

나비효과다. 비록, 이기심으로 시작되었다 하더라도 예비 건물주의 날갯짓이 미치는 효과는 생각보다 크다. 그러니, 앞으로는 누군가 창업, 투자, 도전을 시작한다면, 응원해 줄 일이다. 특정인에게 피해를 주지 않는 한, 법과 도덕의 잣대에 어긋나지 않는 이상, 모든 도전은 박수받아야 마땅하다.